S0-BFH-151

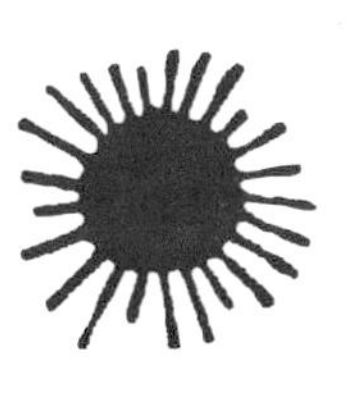
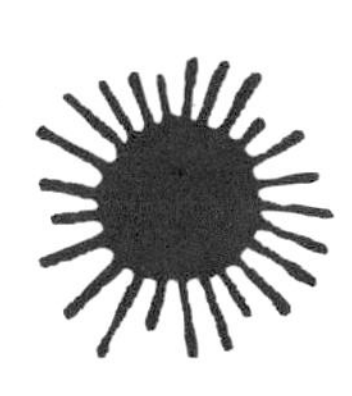

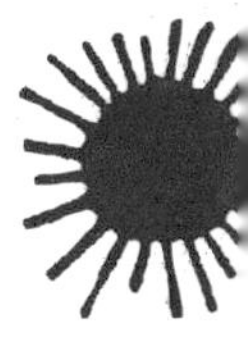

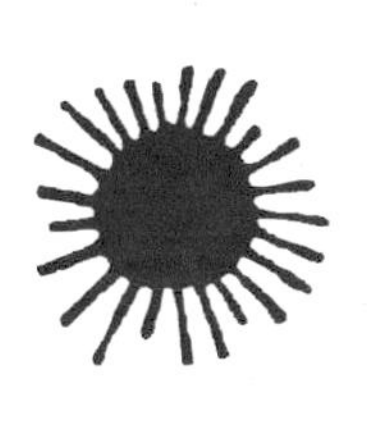
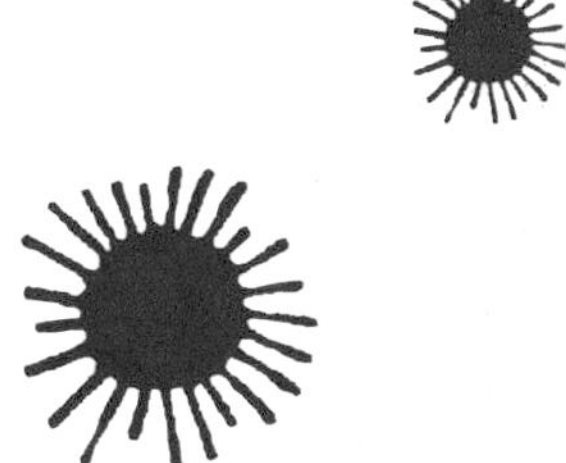

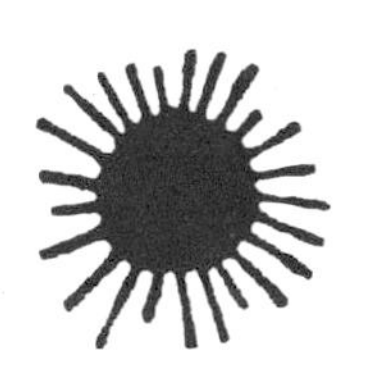

В.Г. Дмитриева

Марии Монтессори

Москва
«Эксмо»
2011

УДК 372.3/.4
ББК 74.1
Д 53

Оформление *П. Ю. Малданова*

Дизайн переплета *П. Е. Петрова*

Дмитриева В. Г.

Д 53 Методика раннего развития Марии Монтессори. От 6 месяцев до 6 лет / В. Г. Дмитриева. — М. : Эксмо, 2011. — 224 с. — (Популярные развивающие методики).

ISBN 978-5-699-28401-6

Все без исключения родители мечтают о том, чтобы их малыш стал успешным и уверенным в себе человеком. Но недостаточно просто мечтать, нужно самим позаботиться об этом! Самая популярная в мире и проверенная временем методика Марии Монтессори поможет вырастить свободную, творческую и гармоничную личность.

Эта методика привлекает родителей и педагогов тем, что не требует много времени на занятия с ребенком, а полезные игрушки легко сделать самим из подручных средств.

В книге подробно описаны способы организации развивающей среды для ребенка с первых дней его жизни, игры и упражнения, которые не только обучают ребенка, но и радуют его.

УДК 372.3/.4
ББК 74.1

ISBN 978-5-699-28401-6

Раннее развитие: хорошо или плохо?

«Поздравляю, у вас все хорошо, скоро вы станете мамой!» — сообщает врач, и будущая мама полностью погружается в заботы о своем чаде. Сначала в мечтах, а затем и наяву.

Новорожденный малыш еще лежит в колыбели, а молодых родителей уже беспокоит не только здоровье, питание, режим крохи, но и его развитие. Не отстает ли он от сверстников, что делать, чтобы ребенок развивался по возрасту или, еще лучше, опережал в развитии других детей? Как лучше поступить: обучать малыша, заниматься с ним самостоятельно или отдать в группу развития, садик, а может, лучше оставить дома с няней или отложить учебу до более позднего времени, не лишать его детства?

Сегодня в любом журнале, газете, детском заведении можно встретить объявления: «Обучаем чтению с двух лет», «Развиваем с 6 месяцев», «Раскрываем творческий потенциал» и т. п. Открываются новые группы развития, подготовки к школе, детские сады, предлагающие оригинальные авторские методики, обещающие, что заниматься с детьми будут только высокопрофессиональные специалисты.

Чуткому, внимательному и небезразличному к развитию своего ребенка родителю сегодня приходится нелегко. Голова кругом идет от обилия предлагаемых образовательных методов и методик, от названий различных школ, программ, развивающих игр и дидактических материалов.

Предложений много, терминология во многом незнакомая, а ребенок растет, и время летит. Все сейчас только и говорят, что о раннем развитии, что «после трех уже поздно!!!»...

Действительно, вроде бы надо поспешить, определить своего драгоценного малыша в хорошую школу или развивающий центр. Но куда именно? Как выбрать?

Что такое «раннее развитие»

Термин «раннее развитие» прочно вошел в нашу жизнь. Вряд ли найдется человек, который хотя бы вскользь не слышал о нем. Возможно, и вы уже столкнулись с именами М. Монтессори, Г. Домана, Никитиных, Н. Зайцева и т. д. Раннее развитие превозносят до небес и ругают, рекламируют и «делают на нем деньги», спорят и экспериментируют.

Как разобраться во всем этом море информации, по какой методике (или методикам) заниматься со своим ребенком, что делать, если нет ожидаемых результатов, а надо ли вообще заниматься? Вопросов, которые чаще всего возникают у родителей, очень много.

Прежде всего давайте определимся с понятием «раннее развитие», почему о нем сейчас так много говорят, пишут и даже создают целые институты. Вряд ли это можно назвать данью моде.

Когда говорят о «раннем развитии», имеют в виду интенсивное развитие способностей ребенка в возрасте от 0 до 3–4 лет. После того, как ученые выяснили, что развитие клеток головного мозга к трем годам завершается на 70%, а к шести-семи годам — на 90%, стало ясно, сколько возможностей мы упускаем, не используя врожденный потенциал малыша.

Многие педагоги-новаторы считают, что детей начинают учить слишком поздно — как раз в тот период, когда мозг уже перестает расти (около 7 лет). Но неужели действительно необходимо начинать учить малышей в столь нежном возрасте?

Дело в том, что после рождения детский организм начинает бурную деятельность: развиваются зрение, слух обоняние, вкус, осязание — ребенку ведь необходимо приспосабливаться к новым условиям. Получение информации для ребенка является необходимостью. Его мозг все время работает, учится сравнивать и делать выводы. Он выдерживает нагрузки, которые не сравнить с теми, что себе позволяют взрослые. Как ему это удается? Методики раннего развития существуют как раз для того, чтобы помочь малышу справиться с этой нелегкой задачей.

Итак, раннее развитие — это:

- неограниченная физическая активность ребенка, которой способствуют специальные упражнения и оборудованные места в доме, что позволяет малышу лучше и раньше овладеть своим телом, быть ловчее, сильнее, чувствовать себя увереннее, физическое развитие напрямую связано и с интеллектуальным;
- специально созданная жизненная среда, наполненная интересными и необычными объектами, которые малыш может изучать и разглядывать;
- разнообразные игрушки, часто из простейших подручных материалов, дающие много самых разных ощущений тактильных, зрительных, звуковых;

- постоянные прогулки и экскурсии, беседы, обсуждения, чтение книг, рисование, музыка и многое другое;
- активная позиция матери по отношению к ребенку в первые годы жизни; это творческий процесс, требующий постоянного «присутствия» в детской жизни;
- возможность получать радость от познания и совместного творчества, желание и стремление сделать жизнь малыша интересной, полной и красочной.

Для чего же необходимо раннее развитие?

Наверно, вам тоже приходилось слышать высказывания некоторых гордых мам: «Я со своим ничем не занималась, и ничего — растет не хуже других!» А если бы занималась? Сколько нераскрытых возможностей осталось в ее малыше! Конечно, такие способности, как мышление, творчество, чувства развиваются и после трех лет, но они используют базу, сформированную к этому возрасту.

Педагоги-классики отличаются от педагогов-новаторов в сроках начала обучения, и дети начинают учиться как раз в тот период, когда рост мозга уже закончен (около 7 лет). В этом случае ребенку действительно сложно выносить ту нагрузку, которую предлагают в школе. Он с трудом учится читать, считать, осваивать письмо. В дальнейшем это ведет к трудностям и в других школьных предметах.

К тому же современный мир выдвигает довольно жесткие требования к нынешнему поколению. От вас зависит, насколько гармонично войдет в этот мир ваш человечек, легко ли ему будет адаптироваться к тем или иным условиям.

Представьте себя на месте крошечного, еще не родившегося ребенка. Ему тепло и уютно в мамином животе. Он видит свет, слышит звуки, чувствует. Уже в это время он не пассивен: ученые доказали, что он непрерывно воспринимает и запоминает информацию. После рождения включаются все его системы: начинают развиваться зрение, слух, обоняние, вкус, осязание. И, самое главное, включаются мощные механизмы адаптации, ребенок приспосабливается к условиям его настоящей и будущей жизни. Основа всего этого — сравнение и информация. Как отличить желтый свет от красного, если глаз постоянно находится в темноте? Как научиться различать голоса родителей, если вокруг постоянно тишина? Что такое ветер и как на него реагировать терморегулирующим центрам, если вокруг постоянная температура и влажность? Многие из этих процессов проходят на подсознательном уровне, но это не уменьшает значение информации. В ранний период развития мозга (от рождения до трех лет), малыш подобен информационной губке: ему необходимо знать все об этом мире.

Как уже говорилось, информация для ребенка — это не желание и возможность, а необходимость. Рамки Монтессори, кубики Зайцева, карточки Домана, разнообразные игры, игрушки и пособия — все это информация об окружающем мире. Даже особый комплекс упражнений — динамическая гимнастика — это информация о гравитации, пространстве и способностях тела.

Итак, делаем выводы.

Вывод 1. Занимаясь с ребенком ранним развитием, мы просто расширяем информационное пространство ребенка и даем ему возможность хотя бы немного удовлетворить его потребности в знаниях об окружающем мире.

Каждый ребенок — это самостоятельная личность, он сам вправе решать, кем ему быть и чем заниматься. Решать за него — преступление против личности. Именно здесь корни проблем с психикой и адаптацией ребенка в обществе. Родители могут только помочь ему, предлагая игрушки, игры, пособия, информацию.

Каждый родитель скажет, что видеть ребенка как творческую личность, видеть его успехи в выбранной им самим сфере — предел мечтаний, цель всего воспитательного процесса. База для этого — умение добывать информацию, способность принимать решения и творческий потенциал. Именно на это может и должно быть направлено средство достижения поставленной цели — раннее развитие.

Вывод 2. Раннее развитие — это не цель, а средство, позволяющее воспитать личность, способную добиться успеха во многих областях деятельности.

Мифы, которые могут помешать

Отношение общества

Родителей, тратящих много времени и сил на обучение ребенка, обвиняют в стремлении заставить своего малыша работать на славу. При этом обвинителями совершенно не учитывается, стремится ли сам малыш к овладению теми знаниями и умениями, которыми с ним делятся его родители.

Обычно упускается из виду то, что если малыш устал или информация или навык слишком сложны для детского понимания, то ребенок просто не будет этим заниматься. А если взрослый сумеет заставить кроху заниматься вопреки его нежеланию, то и результаты будут невысоки, и сразу будет заметно отвращение малыша к занятиям.

«Пойдет в школу (садик) — там научат»

Конечно же, там научат. Во всяком случае, в школу для этого и ходят. Но, как говорилось выше, чем позже начинать, тем труднее будет овладевать знаниями. Представьте себе совершенно неподготовленного ребенка, начавшего в семь лет полный нагрузок процесс учебы, в котором все расписано по плану. Этот процесс требует от маленького человека умение концентрировать внимание, развитую моторику, память и многое другое. А во многих современных школах к общим навыкам прибавляется и умение читать и считать, логически мыслить и рассуждать и т. п.

В то же время надеяться только на детские дошкольные учреждения было бы непростительной ошибкой. Каким бы хорошим ни был садик — это всего лишь садик, и на одну-двух воспитательниц приходится 15–20 детей. Малыша многому научат, но «закреплять пройденный материал» все-таки предстоит в домашнем кругу. К тому же в садике не всегда будут учитываться интересы вашего чада, его желание или нежелание что-либо делать, его настроение. А ведь все эти моменты очень важны для эффективных занятий.

«Ничем не занимались — растет не хуже других»

Как правило, так рассуждают либо ленивые, либо ограниченные родители, а само понятие «не хуже других» очень относительно. Конечно, есть дети, с которыми никогда и ничем не занимались дома, не водили в музеи и театры, отмахивались от вопросов и развлекали только телевизором. И при всем таком «неразвитии» у этих детей не пропал активный интерес к познанию, получению информации, желание творить. К сожалению, таких, в полном смысле слова, «самородков» очень мало. И жаль вдвойне, столько нераскрытых возможностей осталось в них!

«Я не специалист — у меня не получится»

Да, специалистов, знающих методики раннего развития, успешно применяющих их на практике со многими детьми, немного. Но от вас и не требуется заниматься с целой группой чужих детей. Вы — родители, у вас есть свой ребенок, и значит, вы просто обязаны хотя бы немного разбираться в психологии и педагогике, быть знакомыми с понятием развития, владеть «ключиками» к вашему малышу.

Читайте, размышляйте, пробуйте — информации сейчас более чем достаточно. Просматривайте специальные журналы, если есть выход в Интернет — пообщайтесь на конференциях и почитайте тематические странички. Вы больше других знаете своего ребенка, вам проще его понять и почувствовать, и для своего чада — вы самый лучший специалист. Овладевайте информацией, прислушивайтесь к своей интуиции — и у вас все получится!

«У меня на это нет времени»

Да, в современной жизни и мамы, и папы чаще всего работают, а дома еще занимаются хозяйством, ссорятся и мирятся, переживают, устают... Список можно продолжать. Конечно, общение с ребенком, особенно развивающее малыша общение, — это работа высокого уровня, требующая и времени, и сил. И все-таки стоит отметить: если у вас есть ребенок, у вас должно быть на него время. Пусть 10–15 минут каждый день, по вечерам, но это время — только для ребенка. И совсем необязательно для развития малыша устраивать специальные занятия. Задачки для ума можно найти в любой момент — когда готовите ужин, моете ребенка, переодеваете его и т. п. То, что для вас обыденная, неинтересная работа, для малыша — прекрасная возможность познать мир. Главное — ваше желание чем-либо заниматься с крохой, немного фантазии и знаний.

Моете посуду — дайте своему помощнику тазик и пару мисок и ложек. Это поможет ему узнавать законы физики жидких тел. Посчитайте овощи, рассмотрите, сколько четвертинок в разрезанной картофелине, оцените, что больше, тяжелее, длиннее, позвольте малышу вытереть губкой лужицу на столе. Эти нехитрые упражнения принесут вашему крохе много пользы.

Некоторые занятия действительно требуют специально выделенного времени, вашего присутствия. Но ведь их не обязательно проводить каждый день, да еще по несколько часов подряд. Иногда бывает достаточно нескольких минут.

Многие родители, у которых вопрос времени стоит по-настоящему остро и не является прикрытием обычного нежелания чем-либо заниматься с ребенком, часто нервничают, что они не уделяют своим малышам достаточно внимания. Если вы из числа таких родителей, возможно, вас утешат интересные данные последних исследований. Американские исследователи из Университета Техаса и их британские коллеги из Бристольского университета утверждают, что ребенку важно не количество времени, проведенного с ним, а качество общения. После ряда исследований оказалось, что работающие женщины тратили в день меньше времени на ребенка, но наверстывали упущенное в выходные дни, по вечерам. Они проводили время с ребенком более интенсивно и полезно.

«У ребенка должно быть детство»

Самый распространенный аргумент противников раннего развития детей. К сожалению, используют его именно те советчики, которые не понимают (или не знают), что подразумевается под словами «раннее развитие». Видимо, по их мнению, счастливое детство — это беззаботные, не всегда соответствующие возрасту ребенка игры, много игрушек (для девочек — куклы, для мальчиков — машинки, а что еще?), никаких умственных нагрузок и два основных принципа: «рано тебе еще это знать» и «пусть лучше побольше гуляет!» Как вы думаете, какое отрочество и юность повлечет за собой такое детство?

Но почти в каждом утверждении есть и доля истины. И в этом случае относится она к той категории родителей, для которых понятие «раннее развитие» приравнивается к понятию «растим гения!» Именно эти родители готовы буквально после выписки из роддома носить малыша на всевозможные развивающие занятия, делать самую сложную гимнастику, а позже записать ребенка во все группы и школы подряд и требовать, требовать, требовать... Психологи называют такой подход к воспитанию реализацией собственных амбиций и желаний за счет ребенка. И результат в таком случае, как правило, оставляет желать лучшего. Отсюда появляется и нежелание ребенка учиться, и неврозы, и полное безразличие. Действительно, «пусть уж лучше побольше гуляет или играет...».

Чтобы не стать заложником родительского честолюбия и тщеславия, всегда следует помнить, что раннее развитие — это развитие малыша не по отношению к соседской девочке Маше или двоюродному брату, когда он был в том же нежном возрасте, а по отношению только к самому ребенку. Благодаря вашим с ним занятиям он развивается раньше, полноценнее, чем мог бы, если бы вы вообще не обращали на его развитие никакого внимания.

Для успеха раннего обучения малыша нужно его любить, уважать и хорошо знать, то есть внимательно присматриваться к его способностям и интересам.

Не важно, когда именно ребенок научился читать, важно, чтобы он научился добывать знания. Такой взгляд позволяет выйти из тесных рамок разнообразных методик и разработать свою, подходящую именно для вашего ребенка методику предоставления информации, а также вовремя ее корректировать.

Помните: ничто из предложенного вами ребенку не пропадет даром.

Ищите, пробуйте и дерзайте вместе!

Как заниматься с ребенком

Заниматься с ребенком не только нетрудно, но и интересно, особенно, если вы будете придерживаться основных правил.

- Не ставьте перед собой цели воспитать вундеркинда. В погоне за результатом можно перегрузить ребенка и отбить у него желание заниматься, а демонстрируя результаты окружающим — испортить характер ребенка.
- Никогда не заставляйте малыша заниматься, если ему нездоровится или у него плохое настроение.
- Разговаривайте с ребенком как можно больше обо всем и везде — дома, на улице, в дороге. Ваши разговоры, рассказы и обсуждения важнее любого методического пособия.
- Не нагружайте малыша знаниями «про запас», которые не пригодятся ему в ближайшее время. Лучше займитесь изучением и освоением того, что нужно сейчас.
- Не углубляйтесь в изучение какого-то одного предмета, например чтения, математики или физического развития, в ущерб остальным. Важнее всего разносторонне гармоничное развитие.

- Все игры и занятия вводите по принципу от очень простого к простому, а затем к сложному. Если малыш с чем-то не справляется, упрощайте задания.
- Никогда не устанавливайте никаких норм по времени и количеству занятий в день. Предоставьте своему ребенку реальную свободу выбора деятельности и времени занятий, даже если этот выбор кажется вам не самым удачным.
- Не ограничивайтесь только одним методическим пособием, например карточками. Освещайте одну тему по-разному: в играх, плакатах, книгах, мультфильмах.
- Радуйтесь каждому успеху малыша и обязательно хвалите его!
- Создайте ребенку развивающую среду. Пусть в вашем доме поселятся разные кубики с буквами и цифрами, яркие карточки со словами и картинками, плакаты, песочные часы, географические карты и календарь на стенах. Не ограничивайте малыша детскими книжками с картинками. Он с интересом будет рассматривать и взрослые иллюстрации и даже альбомы по искусству.
- Сделайте из подручных материалов (коробок, пластиковых бутылок, тряпочек, катушек, бусин и пуговиц и других ненужных мелочей) игры и игрушки для развития тактильных ощущений, координации движений, мелкой моторики, или просто почаще разрешайте ребенку играть с предметами домашнего обихода.
- Ставьте кассеты или диски с классической музыкой, музыкальными сказками, стихами, держите всегда под рукой краски, клей и пластилин.
- С самого раннего детства предоставьте ребенку как можно больше самостоятельности в быту, обучите навыкам самообслуживания.

- Не забывайте, что высокий интеллект — это еще не самое главное в жизни вашего крохи. Встречаются дети, у которых совсем нет обычных, «ничего не развивающих» игрушек, детей, которые читают только словари и энциклопедии и не играют с уличными детьми в простые, «бесполезные» игры, семилетки, решающие сложные алгебраические задачи и рисующие при этом на уровне трехлетних. У всех этих детей родители, загрузив их очень полезной и интересной информацией, отняли эмоциональность и непосредственность, способность к самостоятельному творчеству.
- Раннее развитие — это не «натаскивание» перед школой, оно не предполагает, что вы будете механически подавать малышу информацию или заниматься с детьми младшего дошкольного возраста по школьной программе.

Подведем итоги

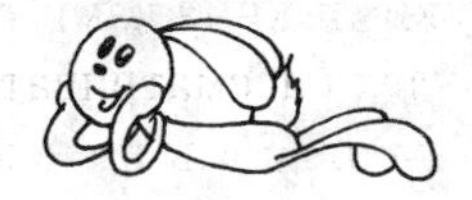

Если вы решили, что раннее развитие — это для вас, что у вас есть желание и хватит терпения заниматься со своим крохой, если вы готовы к тому, что плоды вашего труда взойдут еще нескоро и даже крохотные результаты будут видны далеко не сразу, если вы готовы к недоуменным взглядам, а иногда и явному осуждению окружающих, — тогда прежде всего вам стоит посвятить некоторое время подробному и внимательному изучению основных методик раннего развития.

Безусловно, авторы и последователи каждой из них будут утверждать, что именно их способ обучения чтению, музыке, иностранному языку уникален и стопроцентно эффективен в отличие от всех остальных. Не стоит полагаться на чужое мнение. Взвешивайте «за» и «против» предлагаемых методик в отношении к вашему малышу, по возможности советуйтесь с более опытными родителями. Ни одна из популярных систем раннего развития не является универсальной, у каждой есть свои преимущества и недостатки, и ваша задача — разобраться, что будет хорошо и полезно именно для вашего малыша, ведь только вы знаете особенности его характера и темперамента, наклонности, вкусы и привычки. К тому же не обязательно беспрекословно следовать какой-то одной системе. В вашей квартире могу соседствовать игрушки и предметы из разных «методических интерьеров». Право выбора и творчество всегда остается за вами!

В этой книге вам предлагается познакомиться с одной из наиболее популярных сегодня методик. Это методика раннего развития детей Марии Монтессори.

Давайте знакомиться: Мария Монтессори

Если вы считаете, что о необходимости раннего развития заговорили только в конце XX века, то глубоко ошибаетесь. И до XX века встречались энтузиасты, желающие внести что-то новое в педагогику и проводившие эксперименты в кругу своей семьи. Одни нововведения были успешными, другие нет. Однако ни одно из них нельзя назвать по-настоящему системой раннего развития. Первая по-настоящему продуманная система была разработана Марией Монтессори. Эта методика не только выдержала проверку временем, но и получила всемирное признание. Посмотрите сами: на Западе, в Азии, Америке были созданы целые институты для изучения педагогических и дидактических идей Монтессори, создавались школы, в которых учились миллионы детей.

Мария Монтессори родилась в Италии в 1870 году. Она была единственным ребенком в семье. Ее отец — высокопоставленный государственный чиновник — и мать, происходившая из старейшего итальянского рода Стопани, в котором было немало ученых, делали все, чтобы дочь могла реализовать себя как личность.

Не стоит забывать, что в строгой католической Италии XIX века такое желание не соответствовало традиционному положению женщины.

Учеба давалась Марии легко, а настойчивость помогла преодолеть все преграды: в 13 лет ее приняли в техническую школу для юношей, в которую девушек не принимали. Возможно, после этой первой победы Монтессори решила, что сделает все от нее зависящее, чтобы воспрепятствовать подавлению личности учащегося.

Основным предметом, которым увлекалась Мария, был естествознание. Это и определило последующий выбор Монтессори — медицина. В своей стране она стала первой женщиной-врачом. До этого в Италии медицина была привилегией мужчин.

Марии Монтессори пришлось лечить детей, страдающих слабоумием. Чтобы помочь своим маленьким пациентам адаптироваться, Монтессори создала специальную школу.

Еще в студенческие годы, работая в университетской клинике, она не раз наблюдала за умственно отсталыми детьми. Они были лишены не только книжек и игрушек, но и элементарного человеческого тепла.

Мария Монтессори не раз задавалась вопросами: что было бы, если бы дети с ограниченными возможностями, дети, которых отвергло общество, оказались в иной среде? Быть может, если бы они не были заперты в стенах больницы, имели игрушки и книжки, если бы им уделяли

Это интересно

Когда началась Вторая мировая война, Мария Монтессори с сыном была в Индии. Им, как представителям страны с фашистским режимом, запретили покидать Индию до конца войны. Она прожила в этой стране семь лет и за это время обучила своему методу более тысячи педагогов. В Индии находится Монтессори-школа, которая занесена в Книгу рекордов Гиннесса как самая многочисленная: в ней учатся 22 000 детей.

внимание взрослые, родители и педагоги, они смогли бы догнать в развитии своих здоровых сверстников?

В те годы это были поистине крамольные мысли: до двадцатого века психически больных людей не лечили, а лишь изолировали в психиатрических лечебницах, условия жизни в которых мало чем отличались от тюремных, и уж, тем более, никому не приходило в голову видеть в них личность.

Изучив труды французских психиатров Эдуарда Сегена и Гаспара Итара, Монтессори приходит к выводу, что слабоумие — это проблема в большей степени педагогическая, чем медицинская, а значит, решать ее надо не в больницах и клиниках, а в детских садах и школах.

Мария провела исследования в Институте экспериментальной психологии при Римском университете, а в 1900 возглавила только что открывшуюся ортофреническую школу — первое учебное заведение в Европе для детей с отклонениями в развитии.

Поскольку многие дети плохо говорили, Монтессори разработала систему упражнений, которые развивали речь благодаря тренировке мелкой моторики пальцев. Из-за того что дети с задержкой развития плохо понимали объяснения учителей, были придуманы специальные пособия и игры, с помощью которых ученики этой необычной школы могли изучать окружающий мир на основании собственного сенсорного опыта. Каково же было удивление учителей, родителей и самого автора методики, когда спустя некоторое время оказалось, что умственно отсталые дети научились читать, писать и считать раньше своих нормально развитых сверстников из обычной школы. После таких результатов Монтессори задумалась о несовершенстве общей системы образования.

Мария начала изучать педагогику развития здорового ребенка и в 1907 году в одном из кварталов Рима откры-

В дореволюционной России по система Монтессори работало много детских садов и особых групп раннего развития. Эти детские сады выжили в голодные и трудные годы и были закрыты уже в конце 20-х годов XX века, поскольку «система не соответствовала социалистическим основам воспитания».

ла первый Дом ребенка, директором которого стала сама. Вся работа педагогов в этом заведении строилась по принципам, предложенным Монтессори.

Дом ребенка был обустроен и оборудован так, чтобы дети разного возраста чувствовали себя в нем уютно и удобно. Дети в Доме ребенка находились с 9 часов утра до 16 часов вечера, совмещали свободные игры с молитвами, а разнообразную познавательную деятельность с пением. Здесь все было приспособлено к тому, чтобы приучить ребенка к самостоятельности и помогать ему всесторонне развиваться и совершенствоваться.

Для занятий были сделаны специальные дидактические материалы, разработанные Монтессори и ее помощниками. Пособия постоянно совершенствовались. Эти материалы были устроены таким образом, чтобы ребенок самостоятельно мог обнаружить и исправить свои ошибки, развивал волю и терпение, наблюдательность, приучался к самодисциплине, но самое главное — проявлял собственную активность. День за днем наблюдая за детьми разного возраста, Монтессори внедряла дидактические пособия и материалы, выбирала оптимальную форму столиков и стульчиков. Есть сведения, что

Родителям на заметку

Монтессори-садиков сейчас очень много, и если вы хотите отдать туда ребенка на полный день или приводить на отдельные занятия, то, возможно, найдете такую группу недалеко от своего дома. Но вначале поинтересуйтесь, входит ли выбранный вами садик в Ассоциацию Монтессори-педагогов, как занимаются с детьми воспитатели. Кстати, некоторые группы не носят официального названия Монтессори-садик, но при этом успешно используют метод в работе с детьми.

более семидесяти процентов материалов она в процессе экспериментов отбраковывала, оставляя лишь то, что давало действительно очень хорошие результаты. Поэтому неудивительно, что материалы и пособия, которые выдержали проверку временем, нередко называют «золотой материал Монтессори».

В Доме ребенка взрослым не требовалось указывать на промахи детей и их самоуважение не ущемлялось. Монтессори и ее помощники не раз отмечали, что дружелюбная атмосфера хорошо влияет на детей: они начинают с удовольствием заниматься, активно интересуются предметами вокруг, у них формируется положительное социальное поведение.

Уже в 1909 году стало ясно, что эксперимент Монтессори оказался успешным. Ее метод начал активно внедряться в жизнь. Открываются курсы по Монтессори-педагогике. К Марии приезжают педагоги их разных стран, в том числе и из России. Педагог Юлия Фаусек, которая первой в России открыла монтессорианский детский сад, тоже встречалась с Марией Монтессори.

М. Монтессори тоже начала совершать поездки по разным странам мира. Ее лекции пользовались феноменальным успехом. Куда она ни приезжала, всюду возникали детские учреждения, работавшие по системе Монтессори. В 1929 году вместе со своим сыном Мария организовала «Международную Монтессори-ассоциацию» (AMI — Association Montessori Internationale), которая действует и поныне.

В 30-е годы, когда в Италии прочно укрепился режим Муссолини, Мария Монтессори уехала из страны и жила в Индии.

Свои последние годы жизни педагог-новатор провела в Голландии. Умерла Мария Монтессори 6 мая в 1952 году за несколько месяцев до своего 82-летия. Она похоронена в маленьком городке Нордвиг на католическом кладбище.

Сегодня метод Марии Монтессори — один из самых распространенных в мире, получивший колоссальное признание. Во многих странах Европы он является основным в системе преподавания в начальных школах. Возникли даже специальные термины: Монтессори-садик, Монтессори-группа, Монтессори-материал. В России создана «Российская ассоциация Монтессори-педагогов», на основе метода работают многие детские садики и развивающие группы. «Международная Монтессори-ассоциация» помогает организовать работу десятков тысяч учителей и воспитателей. В продаже есть различные игрушки, сделанные по принципу некоторых развивающих пособий автора.

В настоящий момент в группы Монтессори принимают практически с рождения. В них занимаются дети разных возрастов. Они сформированы по наличию некоторых основных навыков: с 2 до 16 месяцев, с 16 месяцев до 3 лет, с 3 до 6 лет.

Итак, вы познакомились с автором популярной методики Марией Монтессори. Теперь настало время узнать побольше об основных принципах этой методики, узнать, благодаря чему педагогика Монтессори выдержала проверку временем, почему специалисты утверждают: система дает возможность глубже понять себя и ребенка, проявить уважение, понимание и любовь к маленькому человеку, воспитать не просто интеллектуала, а творчески мыслящую личность.

Методика Марии Монтессори, или «Помоги мне это сделать самому»

Когда впервые сталкиваешься с историей педагогической системы Марии Монтессори, невозможно не поразиться тому, с какой ненавистью относились к ней идеологи всех тоталитарных режимов прошлого столетия. Едва придя к власти, и Муссолини, и Сталин, и Гитлер сразу же издают указы о закрытии Монтессори-школ, начинаются гонения на педагогов — сторонников этой системы. И неудивительно: ведь ключевое слово в лексиконе величайшего педагога и гуманиста двадцатого века Марии Монтессори — это «свобода». Целью всей своей жизни она видела воспитание свободных, независимых, самостоятельно мыслящих людей, умеющих принимать решения и нести за них ответственность. Ясно, что именно таких людей панически боялись диктаторы всех времен.

Но оставим пафосные речи и обратимся к теории.

Что такое «Метод Монтессори»

Метод Монтессори основан на наблюдении за ребенком в естественных условиях и принятии его таким, каков он есть. Основной принцип Монтессори-педагогики — подвигнуть ребенка к самовоспитанию, к самообучению, к саморазвитию. Девиз метода знаком многим: «Помоги мне сделать это самому».

Сама Монтессори называла свою педагогическую систему системой развития ребенка в дидактически подготовленной среде. Сложно? Только на первый взгляд.

По мнению Марии Монтессори, у ребенка есть внутренняя потребность осваивать и узнавать мир вокруг себя. Для того чтобы малыш обучал, образовывал себя, его не надо наказывать или поощрять, нужно только вовремя создать ему необходимые условия, «подкидывать «уголек» в топку его ума».

Монтессори считает, что обучать — это значит:
- создать развивающую среду;
- вместе с детьми выполнять несколько четких и простых правил;
- не вмешиваться в процесс без необходимости или просьбы, а только наблюдать за детьми.

Вот на этих основных пунктах и строится вся педагогика Монтессори. Все довольно просто и жизненно: взрослые устанавливают порядок, а ребенок развивается в рамках этого порядка, но только в своем собственном ритме и темпе, согласно своим индивидуальным потребностям.

САМ СЕБЕ ПЕДАГОГ

Представьте себе обычный детский сад. Ребенок приходит в игровую комнату, рассматривает игрушки, игры, но не берет их в руки, а только зрительно изучает. Что делает воспитатель? Конечно же, в первую очередь сам предложит что-то малышу — зачем мучить ребенка проблемой выбора?

Монтессори-педагог поступит иначе. Он подождет, пока ребенок сам выберет, чем он будет заниматься.

Если малыш не знает, как пользоваться игрой или пособием, покажет ему, что можно делать с тем или иным предметом. Основное, что требуется от взрослого, — это только поддерживать интерес и вмешиваться только если ребенок сам об этом попросил.

> **Монтессори-педагог только показывает и объясняет, но никогда не действует за ребенка. Малыш должен научиться всему сам!**

Монтессори-учитель дает малышу возможность познавать мир в его собственном темпе, самому выбирать пособия. От учителя требуется только помочь ребенку освоить тот или иной материал и наблюдать, как происходит развитие малыша.

Отсюда и основное положение Монтессори-педагогики: дать ребенку возможность самообучаться и саморазвиваться. Как это сделать? Монтессори отвечает на этот вопрос однозначно: создайте вокруг ребенка такую развивающую среду, чтобы, попадая в нее, он мог начать учиться самостоятельно.

Детям очень важно быть самостоятельными. Конечно, не у каждой мамы хватит терпения наблюдать, как ее чадо размазывает грязь, вытирая стол, или моет чашку, расплескивая воду. Гораздо легче помыть самой — и времени займет меньше, и результат будет лучше. Но какой урок вы дадите своему малышу? Ребенок очень быстро сделает свои выводы: любое его начинание бессмысленно и не находит никакой поддержки у любимо-

---

Мария Монтессори часто отмечала, что взрослые не учат детей, а только ругают их. Вряд ли многие родители могут похвастаться тем, что не ругали ребенка, к примеру, за пролитый чай, разбитую чашку. Однако сами до этого не потрудились объяснить, что ставить чашку надо подальше от края стола, и показать, как это делается. Ошибочно мнение, что определенные правила ребенок должен усваивать самостоятельно, без объяснений.

го человека. А значит, быть самостоятельным неинтересно и не нужно.

Когда малыш занимается по системе Монтессори, у него появляются новые навыки и умения, но кроме этого, ребенок постепенно приобретает чувство независимости и уверенности.

Как считают специалисты, метод Монтессори развивает в ребенке естественную любовь к учению, интерес к получению новой информации в том объеме, который он в состоянии освоить. Ему нет необходимости делать то, к чему он еще не готов. А это позволяет малышу избежать перегрузок и не потерять интерес к учебе в будущем. В садиках и группах Монтессори ребенка учит сама окружающая среда.

РАЗВИВАЮЩАЯ СРЕДА

Как уже говорилось, всю программу обучения в системе Монтессори ребенок устанавливает себе сам. Пособия и приспособления всегда доступны. Малыш пользуется ими столько, сколько считает нужным. Таким образом, он приобретает независимость, но и берет на себя ответственность за собственное обучение. А это два самых сложных и полезных навыка, которые может освоить маленький человек.

Что такое «развивающая среда»? В такой среде не должно быть случайных или лишних предметов, все необходимо продумать.

Мебель

Малыша иногда можно сравнить с лилипутом в стране великанов — большинство вещей, представляющих для ребенка интерес, являются недоступными. Кроха, попадая в этот мир, видит его совершенно неприспособленным для своей жизни: у него плохая координация движений, он не уверен в себе и не знает, что делать с окружающими его предметами. В садах Монтессори эту проблему решили: ребенок с первых минут попадает в так называемую подготовленную среду, где все пособия доступны и находятся на уровне роста ребенка.

В окружении ребенка — только соответствующая его росту мебель

Например, парты. Для чего они предназначены в обычных классах? Чтобы дети за ними сидели во время занятий. Но таким образом они ограничивают не только двигательную активность, но и свои познавательные способности. В Монтессори-группах парты заменяются легкими столиками и стульчиками, ковриками, которые ребенок по желанию может самостоятельно перенести в любой уголок группы.

Вот что пишет сама Мария Монтессори: «Мы направляем деятельность ребенка к тому, чтобы он пользовался сам всеми этими предметами, ставил бы их на место после того, как привел в беспорядок, строил их снова, после того как их разрушил; чистил бы их, мыл, сметал пыль, натирал. Так создается особая работа, которая, как показал опыт, необычайно подходит маленьким детям. Они на самом деле чистят и на самом деле приводят в порядок. И делают это с огромным удовольствием, приобретая вместе с тем ловкость, которая кажется почти чудом и которая является для нас настоящим откровением, ибо мы раньше никогда не давали детям случая каким-нибудь разумным способом проявлять свои способности.

В самом деле, довольно часто дома, если дети пробуют заняться окружающими их предметами, не игрушками, — их тотчас же останавливают: „Не шали, не трогай!“ — и этот припев повторяется постоянно, когда детские ручки приближаются к предметам домашнего обихода».

Дидактические материалы и пособия

Огромное значение для создания развивающей среды имеют специальные дидактические материалы и пособия.

Для чего нужны эти материалы? Любой дидактический материал преследует две цели: прямую и косвенную. Прямую цель ставит перед собой ребенок. Например, он играет с цветными цилиндрами. Косвенную цель ставит Монтессори-учитель: когда ребенок собирает эти цилиндры, у него развивается восприятие цвета, он учится координировать движения, концентрировать внимание, а заодно готовится к изучению математики.

Для чего нужны эти материалы?

1. Работая самостоятельно с дидактическим материалом, ребенок учится ставить перед собой конкретные цели.
2. Он получает практические навыки решения разных задач.
3. Он учится находить собственные ошибки и исправлять их, потому что действует методом проб и ошибок.

Как уже говорилось, специально подготовленная развивающая среда побуждает ребенка проявить себя с разных сторон. Опыт Монтессори показал, что детская среда должна повторять взрослую, а значит, первыми

- Сделайте комнату ребенка яркой, привлекательной и простой, используйте легко моющиеся поверхности.
- Выделите ребенку место в других комнатах для его личных вещей: полотенец, зубной щетки и т. д. Можете пометить каждое место цветной ленточкой, чтобы ребенок мог легко узнать его.
- Дайте ребенку в личное пользование чистящие материалы: маленькую губку, тряпку для пыли и веник для того, чтобы он сам мог убирать свою комнату.

игрушками должны быть вещи, которыми мы, взрослые, обычно пользуемся в быту. Конечно, никто не призывает вас дать двухлетнему ребенку острый нож или настоящий утюг, но посуда, коробки, флаконы, мебель должны быть самыми настоящими. Главное, чтобы малыш мог манипулировать с ними. И действовать этими предметами надо так же, как в реальном мире: переливать воду, резать бумагу, ткань, шить, нанизывать бусы на нитку, вытирать пыль, поднос, мыть пол...

- Монтессори-материалы привлекательны. Ребенок, заинтересовавшись какой-то вещью, легко постигает законы мира, причем делает это с радостью. Он стремится сам во всем разобраться и нуждается только в небольшой помощи со стороны взрослого, который наблюдает за его развитием и косвенно руководит им.
- Монтессори-материалы помогают упорядочить постижение ребенком окружающего мира, связать в единое целое реальный опыт и теоретические знания. Таким образом ребенок учится понимать природу и ориентироваться в ней, учится приводить в систему весь свой жизненный опыт.
- Монтессори-материалы способствуют удовлетворению желания ребенка двигаться. Малыш узнает свое тело, совершенствует координацию глаз, рук, ног. Благодаря этим материалам его движения становятся более четкими, гармоничными, исчезает неуклюжесть, угловатость.
- Монтессори-материалы дают ребенку возможность самому находить свои ошибки и исправлять их. Если произошла ошибка, он устраняет ее и восстанавливает нарушенный порядок. Это приучает к точности. Малыш общается с материалом самостоятельно, учится ставить цель и достигать ее. Это способствует развитию его независимости от окружающих.

Как уже говорилось, дидактические материалы создают развивающую среду. В такой среде малыш быстро усваивает и запоминает основные законы мира: вода текучая, мокрая, разливается; стекло бьется, песок сыплется, предметы бывают широкими и узкими, большими и маленькими и т. д.

Как обычно происходит занятие взрослого с ребенком? Например, вы хотите научить ребенка сравнивать предметы по размеру, оперировать словами «большой» и «маленький». Как правило, специалисты рекомендуют показать картинку и несколько раз повторить: «Этот мячик большой, а этот маленький». Метод повторений в итоге даст свои результаты. Однако малыш в этом процессе оказывается пассивен. Ему все «разжевали», рассказали, он принял все «на веру», не сделав свои выводы, а только запомнив сказанное.

> Помогайте детям делать выводы и совершать свои открытия, а не преподносите все в готовом виде.

Монтессори отметила, что если ребенок на практике убеждается в том, что, например, в одну бутылку помещается вся вода, а в другую нет, то он сам, без вашей помощи и повторений делает вывод: есть большие и маленькие объемы.

Игры с предметами разной формы, размера и фактуры развивают мелкую моторику. Это, в свою очередь, способствует речевому развитию и развитию интеллек-

---

Родителям на заметку

Дети обладают природной способностью концентрировать свое внимание на одном предмете. Благодаря этому они могут полностью погружаться в изучение какой-либо вещи, предмета. Если маленьких учеников не прерывать, они будут заниматься самостоятельно довольно долго. Как правило, от воспитателя требуется только заинтересовать маленького ученика и при необходимости подсказать. Остальное — в руках ребенка.

та. Практически все Монтессори-игры требуют мелких движений, аккуратности и точности.

Монтессори-материалов очень много. Чтобы не нарушался порядок, все пособия необходимо было систематизировать. Так автор методики разделила класс на зоны развития. Это помогло не только поддерживать порядок, но и видеть, какое занятие выбирает ребенок.

О том, что такое зоны развития и какие материалы находятся в каждой зоне, речь пойдет дальше.

Зоны развития, или Где что лежит

Монтессори выделяет пять зон развития ребенка.

ЗОНА ПРАКТИЧЕСКОЙ ЖИЗНИ

Цель этих упражнений — помочь ребенку научиться заботиться о себе. Уроки для малышей в Монтессори-группах просты и жизненны: налить воду в кувшинчик, а затем в чашку, открыть и закрыть дверь, правильно поздороваться, высморкаться, вытереть лицо салфеткой.

На больших деревянных рамках, как на манекенах, части одежды со всевозможными застежками, большими по размеру, чем на самом деле. Так легче научиться застегивать пуговицы, крючки и кнопки, завязывать шнурки.

Кроме этого, малыши учатся чистить и резать овощи, сервировать стол и делать многое другое, чего обычно мама не разрешает дома. Согласитесь, нашим детям часто приходится слышать: «Ты еще маленький!», «Подрастешь, тогда и будешь де-

В Монтессори-группах малыши быстро учатся сами ухаживать за собой

лать все сам». Но, к сожалению, потом будет поздно... А в группах Монтессори дети скорее услышат: «Ты уже взрослый и вполне можешь справиться с этой задачей сам». Учитель должен просто показать, как правильно обращаться с тем или иным материалом, или дать, говоря языком методики, презентацию.

Упражнения практической жизни включают в себя также материалы, которые можно использовать для переливания, пересыпания и сортировки предметов, — все то, что развивает движения руки и является подготовкой к освоению письма, чтения и математических абстракций. Очень важно: все предметы, которыми пользуется ребенок, должны быть настоящими, а не игрушечными.

ЗОНА СЕНСОРНОГО РАЗВИТИЯ

В этой зоне развития можно научить ребенка различать температуру, трогая лед, металлические предметы, нагретые на солнышке камешки, погружая руки в теплую воду. Можно развивать «барическое» чувство — умение ощущать разницу в весе, взвешивая в руке или на игрушечных весах тяжелые и легкие предметы.

Игра на музыкальных инструментах поможет научиться различать их звучание.

Нюхая баночки со специями, кофе или ватными тампонами с различными отдушками, дети знакомятся с многообразием запахов.

В группах Монтессори дети живут не понарошку, а всерьез. Если у малыша падает на пол стеклянный кувшин, разлетаясь на осколки, и вода разливается, ему сразу видна ошибка. Как правило, ребенок сам искренне расстроен, и воспитателю нет необходимости ругать его. И в этом заключается еще один замечательный принцип педагогики, который можно назвать автоматическим контролем ошибок. Вообще, метод Монтессори — это педагогика без наказаний.

В этой зоне малыш может получить все ощущения, которых недостает ему в жизни: он развивает зрение, осязание, вкус, обоняние, слух, а также может потренироваться различать температуру, ощутить разницу в весе предметов. Здесь ребенок учится различать высоту и длину, цвет, звучание, запах, форму различных предметов, может познакомиться со свойствами тканей.

МАТЕМАТИЧЕСКАЯ ЗОНА

В этой зоне собраны материалы, позволяющие обучить ребенка основам математики. Обучение математике проходит естественно: малыш просто живет в подготовленной среде, «пропитанной» математикой. Математическая зона содержит все необходимые материалы для того, чтобы ребенок научился сложению, вычитанию, умножению и делению, освоил порядковый счет — все то, что считается необходимым для готовности ребенка к школе. Монтессори-материал учит детей мыслить логично и точно, ребенок без труда переводит в математические термины уже хорошо знакомые ему понятия.

ЗОНА ЯЗЫКОВОГО РАЗВИТИЯ

В этой зоне кроха расширяет словарный запас, учится читать и писать.

Большое значение уделяется развитию мелкой моторики. Именно поэтому многие игры-пособия Монтессори способствуют мелкой работе рук, массажу пальчиков. Дети обводят пальчиком шершавые буквы и пишут их на крупе, учатся составлять слова с помощью подвижного алфавита.

ЗОНА ЕСТЕСТВЕННОНАУЧНОГО («КОСМИЧЕСКОГО») ВОСПИТАНИЯ

Здесь ребенок может получить первые представления об окружающем мире, о взаимосвязях и взаимодействии явлений и предметов, об истории и культуре разных народов.

В этой зоне малыш также узнает основы ботаники, зоологии, анатомии, географии и других естественнонаучных дисциплин.

Дополняют окружающую среду такими зонами, как музыкальная, зона искусства и танцев, работ по дереву, иностранного языка, двигательной активности. Эти зоны способствуют дальнейшему всестороннему развитию ребенка.

Какие же материалы используют в группах, работающих с детьми по методике Марии Монтессори, для развития разных навыков и обучения разным понятиям?

Материалы в Монтессори-группах

В группе Монтессори в различных зонах вы найдете специальные материалы и предметы, способствующие развитию каких-либо навыков, умений, позволяющие ребенку сделать необходимые выводы, а точнее, маленькие открытия.

ПРАКТИЧЕСКИЕ НАВЫКИ

К материалам, позволяющим приобрести практические навыки, относятся не только специально разработанные и сделанные пособия, но и самые обычные предметы, которыми мы часто пользуемся в повседневной жизни.

Рамки с застежками

Это деревянные рамки с различными застежками: большими и маленькими пуговицами, кнопками, бантами, ремешками, застежками-«молниями», «липучками», шнурками, которые вдеваются в дырку, наматываются на крючки и петли.

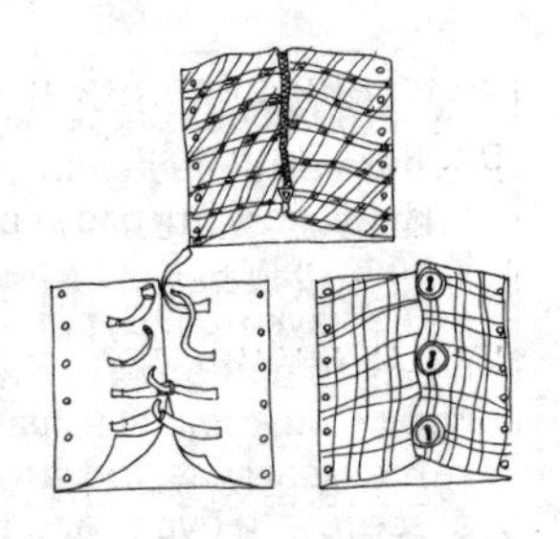
Рамки с застежками

Такие игрушки-пособия обучают конкретным навыкам, необходимым при одевании и раздевании, а также развивают мелкую моторику. (Не забывайте, что развитие мелкой моторики способствует и развитию речи.)

Предметы для пересыпания и переливания

Пересыпание крупы

Упражнения с этими предметами помогают улучшить координацию движений, способствуют концентрации внимания. Как правило, упражнения включают в себя пересыпание крупы и переливание воды из одной посуды в другую.

Предметы для приготовления пищи

Эти предметы предлагаются детям для упражнений, которые включают в себя очистку и нарезку моркови, банана и яблок. Упражнения способствуют развитию аккуратности и самостоятельности.

> В домашних условиях вы всегда сможете заменить многие пособия реальными вещами. Например, рамку с застежками можно заменить кофтой с пуговицами, «молнией», детским ботиночком со шнурками и т. п. Придумывайте и экспериментируйте!

Предметы для уборки помещения и соблюдения личной гигиены

С помощью упражнений с этими предметами малыши учатся чистить об-

Будьте доброжелательны с ребенком. Как можно меньше говорите ему «не делай», «не мешай», «не надо», «нельзя», «неправильно». Эти слова в итоге не приведут ни к чему хорошему. И если ребенок внемлет вашим нотациям, ничему полезному он не научится. Будет намного лучше подсказывать малышу, помогая при этом добиться идеального результата. Ребенок пролил сок или вытирает стол и не заметил пятна? Не упрекайте малыша. Достаточно сказать: «Еще одно вот это пятно стереть — и будет идеально чисто!», чтобы маленький ученик смог исправить сам свою ошибку и при этом не чувствовать себя униженным.

увь, подметать, мыть пол шваброй, вытирать стол, умываться и многому другому, чтобы самостоятельно ухаживать за собой.

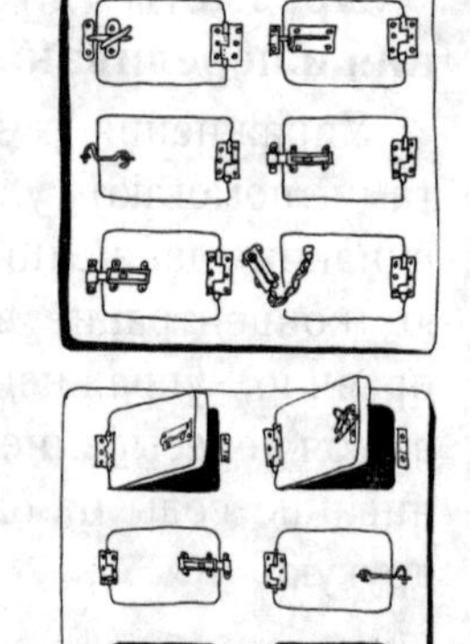

Замочки

«Замочки»

«Замочки» — это доска с несколькими видами замков: навесной крючок, задвижка, защелка, цепочка и т. п.

Пособие помогает развить мелкую моторику ребенка, координацию движений, научить пользоваться простыми замками.

СЕНСОРНОЕ РАЗВИТИЕ

Благодаря этим предметам ребенок учится различать понятия: больше, меньше, средний, самый маленький, тонкий, толстый, длинный, короткий, высокий и т. п.

Коричневая лестница

Коричневая лестница — это 10 деревянных призм коричневого цвета, каждая длиной 20 см. Боковые стороны — квадраты с длиной ребер от 1 до 10 см.

Розовая башня

Это пособие представляет собой 10 розовых деревянных кубиков с длиной ребра от 1 до 10 см.

Красные штанги

Красные штанги — это 10 деревянных штанг, самая маленькая — 10 см длиной, каждая следующая на 10 см длиннее, самая большая — 1 м.

Все вышеперечисленные предметы сенсорной зоны представляют различия величины в одном измерении (длины) и знакомят с понятиями: короткий, короче, самый короткий; длинный, длиннее, самый длинный.

Блоки цилиндров

Представляют собой четыре набора с девятью цилиндрами в каждом. Первый набор состоит из цилиндров различных по высоте; второй — цилиндры, различные по диаметру; два других включают цилиндры, различные и по высоте, и по диаметру. Подбор цилиндра к соответствующему отверстию помогает в различении размера и развивает у ребенка мелкую моторику рук.

Цветные катушки

Первый набор состоит из трех пар основных цветов для сопоставления; второй составляет одиннадцать пар различных цветов; третий — по семь оттенков каждого цвета.

Цветные катушки знакомят с названиями цветов, развивают восприятие цвета, учат различать оттенки.

Занятие с цветными катушками

Коврик

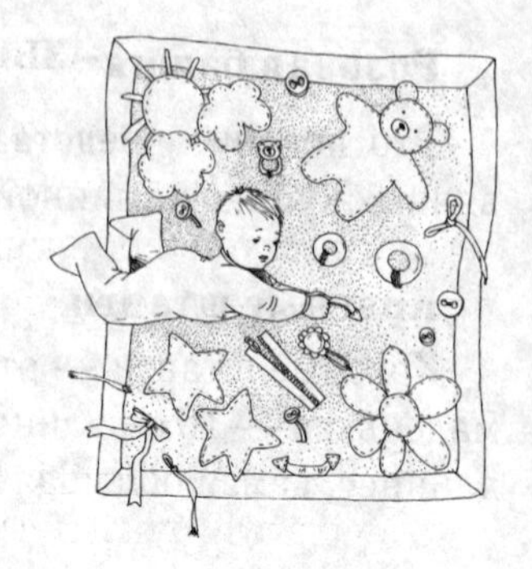

Развивающий коврик

Коврик Монтессори включает в себя много различных элементов, которые малыши могут трогать, гладить, мять, тянуть, растягивать, отстегивать, то есть самыми разными способами давать волю исследовательскому движению и любопытству. Так как каждый элемент коврика многофункционален и направлен и на развитие различных анализаторов ребенка, и на стимулирование его социальных реакций, и на развитие навыка схватывания предметов, то есть на моторику руки и пальцев (особенно большого и указательного), то коврик можно использовать для самых разных совместных игр с малышом.

Сенсорная доска

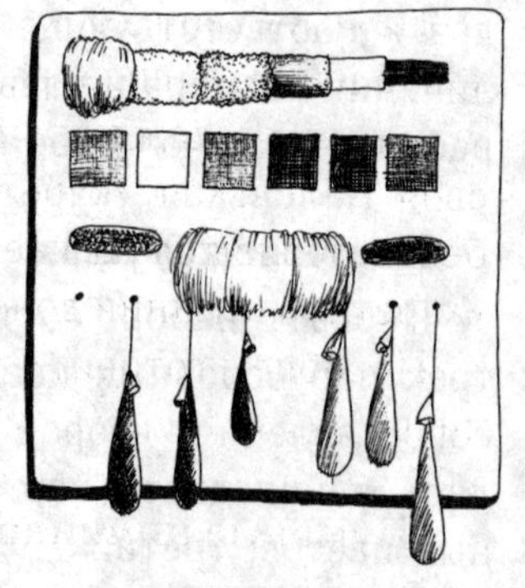

Сенсорная доска

Кроме коврика, к зоне сенсорного развития относится и так называемая сенсорная доска. На листе фанеры размещены различные кусочки ткани, разные по фактуре, цвету.

Также к доске приделаны пакетики с наполнителями. Наполнитель может быть любой: от крупы до гаек или ваты. Ребенок не только на ощупь определяет наполнитель или просто перебирает руками эти мешочки, но и сравнивает эти мешочки по весу.

РАЗВИТИЕ РЕЧИ

Напомним, что развитие речи напрямую связано с развитием мелкой моторики рук. Поэтому многие материалы и пособия в зоне языкового развития направлены именно на совершенствование мелкой моторики.

Шершавые буквы

Шершавые буквы вырезаются из бархатной или другой шершавой бумаги. Малыш проводит пальчиком по букве, готовится к письму и чтению. Такое упражнение позволяет ребенку узнать очертание каждой буквы через прикосновение и связать звук с его графическим начертанием (буквой).

Шершавые буквы

Прописи

На фанерной доске сделаны углубления в виде различных линий. Для каждой линии — своя маленькая «каретка». Ребенок держится за нее и ведет «каретку»по линии до конца.

Пособие готовит руку к письму.

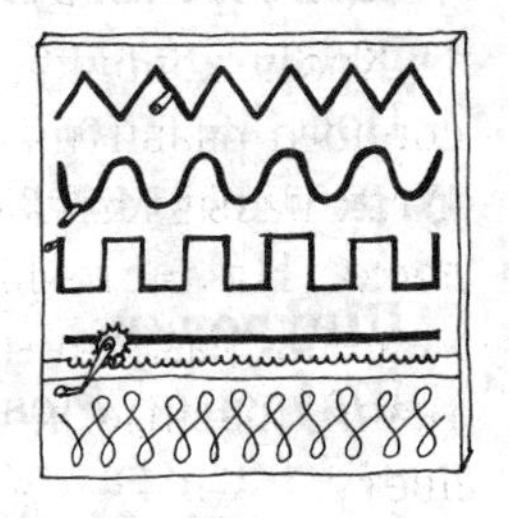

Прописи Монтессори

Шумовые цилиндры

Этот набор состоит из двух деревянных коробок, каждая из которых содержит шесть цилиндров. Каждая пара цилиндров имеет свой звук, то есть к каждому звуку красных цилиндров подбирается соответствующий звук синих цилиндров.

Рамки-вкладыши

Рамки-вкладыши

Это пособие универсально и относится не только к зоне языкового развития.

Рамки-вкладыши — это различные фигуры (от геометрических форм до контуров животных) и рамки. У вкладышей есть маленькая ручка для удерживания и перемещения фигурки. Малыш подбирает к каждой рамке соответствующую фигурку. И фигурку, и рамку можно обводить карандашом и получать различные рисунки.

Крутящиеся диски

Этот дидактический материал представляет собой два диска разного диаметра с зазубренными краями и ручками для их вращения. Ребенок берет ручку и вращает оба диска.

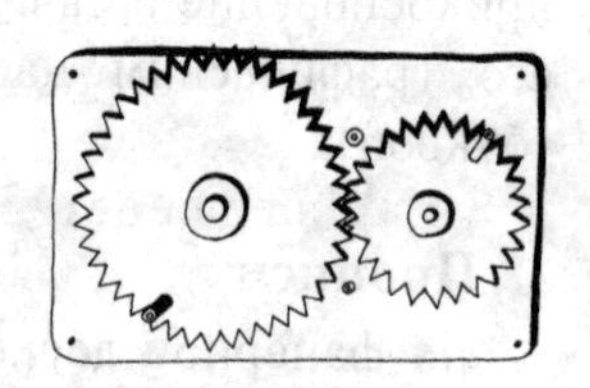
Диски для вращения

Пособие готовит руку к письму, развивает координацию.

Шнуровки

Шнуровки Монтессори сделаны из дерева, твердого картона или пластика. Игрушки могут быть различной формы, шнурки — разной длины.

Одна из наиболее простых игр-шнуровок, которая отвечает детской потребности в подражании взрослым — пуговица с иглой. Выполнена она обычно из дерева.

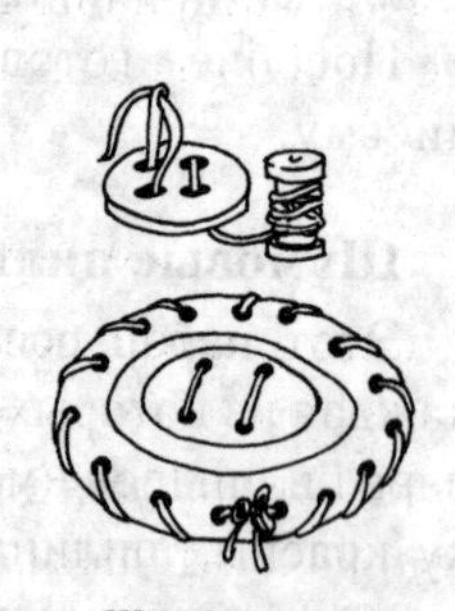
Шнуровки

Играя со шнуровками, ребенок развивает мелкую моторику, воображение, усидчивость, готовит руку к письму.

МАТЕМАТИЧЕСКОЕ РАЗВИТИЕ

Геометрические тела

Набор состоит из куба, шара, цилиндра, четырехугольной пирамиды, прямоугольной призмы, эллипсоида, конуса и треугольной призмы. Материал способствует зрительному и тактильному различению геометрических форм.

Красно-синие штанги

Набор из 10 штанг того же размера, что и красные штанги, но каждая штанга делится на красно-синие части. Эти упражнения учат первичным основам счета и могут быть использованы для простейшего складывания, вычитания, умножения и деления.

Коробка с веретенами

Две коробки с секциями от 0 до 9 используются для обучения счету и освоению понятия количества. Ребенок размещает определенное количество веретен в соответствующую секцию.

Золотые бусины

Эти материалы дают представление о счете, количестве и об основных математических функциях.

ДРУГИЕ ЗОНЫ РАЗВИТИЯ

Географические карты

Это пособие представляет собой деревянные карты с маленькой ручкой для переноса и манипулирования. Карты привлекательны, знакомят с названиями и расположением государств и континентов, основами географии.

Природные карты

Различные наборы карт для изучения строения листьев, цветов, деревьев. Расширяют словарный запас и знания о природе.

Звучащие колокольчики

С помощью деревянного молоточка колокольчики издают различные звуки. Это пособие используется в качестве сенсорных упражнений для сопоставления звуков. Также может использоваться при обучении основам нотной грамоты и составлении простых мелодий.

Линия

В большинстве классов на ковре или на полу нарисована линия в виде круга, которая используется для физических упражнений по развитию равновесия и координации движений.

Конечно же, это далеко не все материалы, использующиеся в Монтессори-группах.

Необходимо запомнить одно: работать по методике Марии Монтессори, отказавшись от дидактических материалов, недопустимо. Эти материалы стимулируют развитие ребенка.

Благоприятные (сенситивные) периоды развития

В развитии каждого ребенка бывают периоды спада и подъема. В период подъема малыш активнее всего воспринимает информацию и быстрее, чем в другое время, обучается каким-либо способам, видам деятельности. Такой период Мария Монтессори назвала сенситивным. Так, например, музыкальные способности особенно активно развиваются от 2 до 6 лет, а развитие органов чувств наиболее ярко проявляется в возрасте от 2,5 до 6 лет. Человеку никогда больше не удастся так легко овладеть знанием, научиться чему-нибудь, как в соответствующий сенситивный период.

> В сенситивные периоды ребенок максимально развивает заложенные в нем способности, чтобы получить новую информацию и освоить новые навыки.

К сожалению, благоприятные периоды приходят и уходят безвозвратно независимо от того, удалось ли ребенку полностью воспользоваться ими для развития своих способностей. Повлиять на этот процесс невозможно. Но в ваших силах, зная о существовании таких периодов, создать максимальные условия для развития своего малыша. Можно также предвидеть наступление следующего сенситивного периода и подготовить соответствующую окружающую среду, чтобы ребенок имел то, в чем будет особенно нуждаться в этот момент.

Познакомьтесь с кратким описанием некоторых сенситивных периодов. Абсолютно точных сроков наступления этих периодов не существует: каждый ребенок развивается в своем темпе, поэтому возраст указан приблизительно. Зато вы сможете узнать, развитию каких навыков следует уделять особое внимание.

«ПОГОВОРИМ?»

От рождения до 6 лет — период активного развития речи.

К 4,5 месяцам младенец уже способен ощущать речь как нечто особенное. Малыши смотрят в рот говорящему, поворачивают голову в сторону, откуда слышится звук. Стоит отметить, что если ребенок не реагирует на речь — это тревожный сигнал для родителей. Возможно, у малыша есть проблемы со слухом. В таком случае надо как можно быстрее обратиться к врачу.

В этом же возрасте дети учатся подражать звукам. Они постоянно выплевывают что-то, надувают пузыри из слюней — так начинается тренировка мышц речевого аппарата.

К году ребенок сознательно выговаривает первое слово, впервые в своей жизни словесно выражает мысль. Малыш хочет говорить, но пока не может. С этого момента происходит быстрое нарастание словаря ребенка.

К полутора годам ребенок начинает выражать свои чувства, желания. Он начинает осваивать грамматические нормы языка. Но из-за нехватки слов у малыша нам, взрослым, кажется, что ребенок говорит на своем, «детском» языке (ать — дать, ди — иди). В этот период очень важно как можно больше разговаривать с ребенком, рассказывать ему и читать. Что читать? Простые понятные малышу сказки, стишки, рассматривать картинки и придумывать по ним небольшие рассказы (это, конечно, пока придется делать вам самим). Но не менее важно не «сюсюкать», не повторять его слов, даже если они умиляют вас до слез.

Нередко родителям интересно знать: а что думает малыш? Такая возможность у вас появится, когда малышу исполнится 2–2,5 года. В этом возрасте дети часто разговаривают сами с собой. Вам предоставляется прекрасная возможность услышать логические цепочки ребенка, последовательность его мыслей, о чем он думает в настоящий момент. Этот этап довольно короткий, и монологи постепенно становятся внутренними.

В 3–4 года ребенок начинает говорить целенаправленно и осознанно. С помощью речи он решает свои проблемы, выражает эмоции и желания. В этом возрасте дети интересуются буквами — символами звуков, с удовольствием играют с магнитным алфавитом, обводят шершавые буквы и т. д.

К 4,5–5 годам ребенок готов не только без принуждения, но и самостоятельно учиться читать.

ЦВЕТА И ЗАПАХИ

От рождения до 5 лет — период активного чувственного (сенсорного) развития.

В этот период ребенок становится особенно восприимчив к цвету, форме, размерам предметов, звукам.

Сначала информацию о мире он получает через тактильные ощущения, запахи (прикосновения мамы, запах ее кожи). Затем основными источниками информации становятся зрение и слух. Ребенок запоминает внешний вид предметов, узнает знакомые ему изображения. Все развивающие игрушки, рекомендованные для этого возраста, учитывают эту особенность.

«Я ДВИГАЮСЬ — ЗНАЧИТ, Я СУЩЕСТВУЮ!»

От рождения до 3,5 лет движение — способ познания мира.

Первые движения малыша неуверенны и беспомощны и на первый взгляд кажутся хаотичными, совершенно бессмысленными. Тем не менее они необходимы ребенку для освоения окружающего пространства.

В начале этого периода малыша интересуют именно движения, позже он начинает интересоваться более сложными действиями. Для их выполнения нужны хорошая координация, свобода и выразительность движений.

> Чем сложнее движение, тем больше требуется не только физических, но и умственных усилий.

«БЕРИ С МЕНЯ ПРИМЕР!»

От 2 до 4 лет — период формирования представления о порядке и аккуратности.

Внимание, уважаемые родители! Этот период можно назвать «золотым» периодом для приучения ребенка к аккуратности. По мнению Монтессори, малыш испытывает настоящую страсть к соблюдению при-

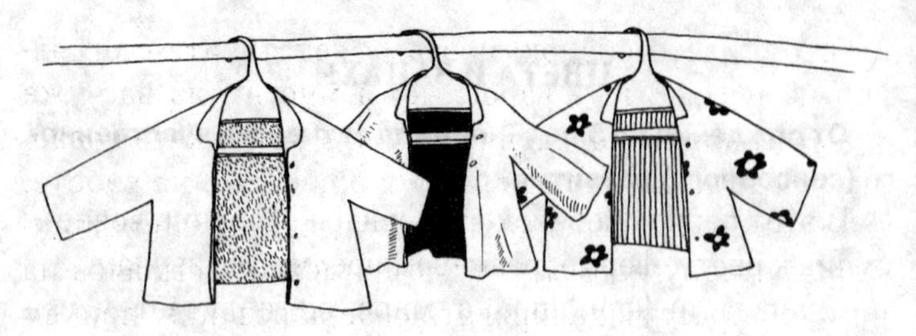

Все вещи на своих местах

вычного для него порядка. Для ребенка важны чувство постоянства, строго определенный жизненный уклад. У каждого предмета есть свое место: посуда должна быть на кухне, обувь — в коридоре, одежда — в шкафу, игрушки — в ящике, на полке и т. д. Ребенок спит, ест на одном и том же месте, у него есть собственная посуда. Малышу необходимо (даже если он не осознает этого) видеть каждое утро свои игрушки аккуратно сложенными и в одном и том же месте, где они должны быть, несмотря на то, что вечером они были разбросаны.

Увы, без вашей помощи сам ребенок не будет соблюдать порядок. Ваша задача — помочь ему. А для этого начните наводить порядок на «территории» ребенка сами, вовлекая в это занятие и малыша.

Очень важен для ребенка и порядок в отношении людей к предметам. На стуле принято сидеть, за столом — есть, использовать вилку, ложку, нож определенным образом, открывать дверь рукой, а не ногой и т. д.

С трех лет ребенок учится самостоятельно ухаживать за своей обувью

Дорогие родители, помните, что за вами внимatельно наблюдает ребенок, поэтому действуйте с оглядкой на него. Вы — взрослые, и многим из вас уже знакомы нормы поведения. То, что вы можете позволить себе дома, не позволите в обществе, на работе. Для вашего же ребенка пока существует единственный критерий нормы — ваш пример. И ссылаясь на него, он будет моделировать свое поведение, причем не только дома. Спросите себя, всегда ли вы дома пользуетесь салфеткой, носовым платком, убираете вещи на места?

Режим — всеми любим!

Не менее важен для ребенка и порядок во времени, иными словами — режим. Как ни покажется это странным, но дети любят соблюдать режим. Только не тот, о котором мечтаете вы, а свой собственный. Обычно он устанавливается в первый год жизни. Придется потрудиться, прежде чем вы добьетесь «золотой середины», чтобы режим дня устраивал и вас, и малыша. Зато потом останется только поддерживать его на протяжении второго и третьего года жизни ребенка.

Внутреннее представление о порядке (или о его отсутствии), сложившееся в этот период, не изменится в течение всей дальнейшей жизни.

Детям очень важна хорошо знакомая последовательность событий. Кстати, это одна из причин, почему малыши просят родителей по многу раз перечитывать им одни и те же книги. Не беспокойтесь, это не педантизм и ребенок вовсе не против вашего творчества, фантазии и чего-то нового. Просто ему надо приобрести устойчивость в мире, и если Колобок ведет себя, как всегда, — значит, можно быть уверенным в завтрашнем дне. Ребенку необходимо чувствовать, что этот мир не меняется, а значит, он надежен.

«ХОРОШО И ПЛОХО»

От 2,5 до 6 лет — период усвоения норм поведения в обществе.

В этот период ребенок быстро усваивает формы общения и хочет их применять. Будьте внимательны: малыш восприимчив как к хорошим примерам, так и к плохим. Он будет подражать тому, что видел и пережил дома, на улице, и повторять это в своем поведении. К сожалению, наказания и объяснения без аргументов «Это плохо!» не подействуют. Если малыш «принес с улицы» что-то, что, по вашему мнению, недопустимо, обращайте его внимание на положительные примеры. Чем больше и чаще вы будете это делать, тем лучше будут результаты. Оградить от всего плохого вам не удастся, но ваша задача — показать ребенку, что хорошо и что плохо, научить его понимать и осознавать это.

ПЕРИОД ВОСПРИЯТИЯ МАЛЕНЬКИХ ПРЕДМЕТОВ

От 1,5 до 2,5 лет.

Этот период трудно не заметить, и часто он доставляет взрослым немало волнений: ребенок манипулирует пуговицами, горошинами и т. п. с угрозой для собственного здоровья. Действительно, обычно взрослые не видят в этом интересе ничего полезного и не предоставляют ребенку возможность овладения адекватными способами реализации этой познавательной потребности.

А на самом деле ребенка интересует проблема целого и части. Он получает удовольствие от того, что на его глазах при ударе об пол фарфоровая чашка распадается на несколько частей, которые, в свою очередь, состоят из еще более мелких частей. Таким образом ребенок ощущает, что мир делим и состоит из все более и более мелких частей.

Что делать взрослым? Конечно же, направить в «мирное русло» познавательную активность маленького исследователя. Предложите ребенку специальные упражнения. Ребенок может нанизывать на нитку более или менее мелкие предметы (плоды каштана, бобов с проделанными в них отверстиями, бусины и т. п.); разбирать и собирать модели из конструктора (это позволит ребенку усвоить понятия целого и части).

Нанизывая мелкие предметы на нитку, ребенок познает «целое» и «часть»

Кроме перечисленного, Монтессори и ее сторонники выделяют такие сенситивные периоды, в которых происходит активное развитие творческих способностей ребенка.

- Музыкальное развитие — от 2 до 6 лет.
- Утонченность чувств — от 2,5 до 6 лет.
- Развитие тактильного чувства — от 4 до 4,5 лет.

Куда смотрит Монтессори-педагог

Если вы впервые привели ребенка на занятия в Монтессори-группу, возможно, вас удивит организация уроков. На первый взгляд, все выглядит так: большую часть времени дети предоставлены сами себе, а педагог просто наблюдает за происходящим. Полный хаос! И куда педагог смотрит?!!

СВОБОДА! А ЧТО ЭТО ТАКОЕ?

К сожалению, довольно часто родители воспринимают понятие «свобода ребенка» как вседозволенность. Они четко отстаивают позиции дисциплины. При этом

Ребенку необходимы правила и ограничения, которые четко и последовательно вводятся в его жизнь. Однако правила и ограничения должны быть разумные и гибкие, чтобы маленький ученик мог легко принять их.

почти все понимают, что нельзя вырастить независимую творческую личность, если все время устанавливать запреты: не лезь — упадешь, не бери — сломаешь, испортишь, испачкаешь. Список можно продолжать до бесконечности. Как быть? Предоставить ребенку полную свободу делать то, что он хочет, невозможно и опасно. Представьте себе двухлетку, получившего такую «свободу». Кроме этого, у ребенка может возникнуть стойкое убеждение, что он никому не нужен.

Монтессори утверждает: «Свобода ребенка — это естественно развивающаяся внутренняя способность выбирать наилучшее для себя и для других». Другие словами, у ребенка должна быть возможность самостоятельно определять, что и как делать, во что играть в данный момент и с кем дружить. Такая предоставленная свобода в будущем превратится в способность нестандартно мыслить, творчески решать проблемы, противостоять чужому влиянию.

Вот пример обычной ситуации в Монтессори-группе.

Девочке 4 года. Она бегает по группе, задевает других детей и уже несколько раз сломала башенку, которую делали другие дети. Что, по логике, должен сделать воспитатель? Наказать или высказать недовольство,

---

Ребенок не является слушателем, пассивно воспринимающим объяснения педагога. Он активно приобретает знания, умения и навыки в ходе самостоятельной деятельности, отталкиваясь от индивидуальных интересов и желаний.

Ребенок занимается с материалом, который сам выбирает, сам определяет место и длительность работы с ним. Благодаря такому подходу малыш защищен от перегрузок, т. к. выполняет задания, доступные для выполнения.

пригрозить, упрекнуть. Иными словами, осудить такое поведение. Что делает Монтессори-воспитатель? Он ласково берет ребенка за руку, подводит к шкафу с играми, говоря: «Я вижу, тебе весело. Может быть, хочешь поиграть?» И предлагает на выбор материалы и игры. Девочка сама выбирает понравившееся пособие с водой и увлекается этим занятием.

А теперь вывод: ребенка никто не упрекал в активности. Наоборот, ее поощрили, но при этом пустили ее активность по другому руслу, оставив все-таки право выбора.

«ПОМОГИТЕ МНЕ!»

Все, что ребенок может сделать сам, он должен сделать сам. А если не получается? Нужно ли взрослым вмешиваться в процесс и помогать малышу? Конечно, нужно!

Однако помощь не означает, что взрослый выполняет задание ребенка. Монтессори-воспитатель доброжелательно и ненавязчиво руководит ребенком, становясь посредником между ним и подготовленной средой.

Вот один из примеров.

Ребенок складывает по схеме бумажную фигурку. Уже почти все сделано, осталось вывернуть уголок бумаги. Это оказывается камнем преткновения. Воспитатель замечает, что ребенку почти полчаса не справиться с этим заданием. Тогда взрослый показывает на отдельном листе бумаги, что мелкие детали проще вытащить кончиком карандаша или острым краем линейки. Ребенок принимает совет и через несколько минут справляется с заданием.

По мнению Монтессори, помочь — это подсказать, подбросить идею, ко-

> Наблюдая за ребенком, помогайте ему делать самостоятельный выбор, давайте возможность развиваться, приобретать новые навыки, поощряйте его самостоятельность.

торая позволит ребенку довести начатое дело до конца. Убедившись, что малыш справился с трудностью, оставьте его и не мешайте.

ОБЩЕНИЕ С УВАЖЕНИЕМ

«Свобода каждого человека заканчивается там, где начинается свобода другого». Это один из ключевых принципов педагогики Монтессори. Поэтому даже двух-трехлетние малыши в Монтессори-садике отлично знают, что они не должны шуметь и баловаться, когда другие дети погружены в размышления, что, поиграв, они обязательно должны убрать игры и материалы на полку, тщательно вытереть за собой грязь и лужи, чтобы другим потом было удобно и приятно заниматься.

Если в материале нуждаются сразу два маленьких претендента, естественно, возникает необходимость договориться об очередности или о совместной работе. И дети приобретают бесценные навыки общения, умение договариваться и слушать друг друга.

Часто родители интересуются, как быть, если на занятиях возникают конфликты между детьми. В действительности такое бывает довольно редко. Тем не менее, это возможно, так как каждый Монтессори-материал в группе находится в единственном экземпляре, и вполне может быть, что поиграть с ним захотят сразу двое. Такое ограничение в количестве игровых пособий обусловлено самой методикой. Если игрушка уже занята кем-то из ребят, тот, кто хочет поиграть, должен будет дождаться своей очереди. Это формирует волю — ребенок

Чтобы играть вместе, дети должны уметь договариваться

учится себя сдерживать, ждать, и воспитывает уважение к окружающим.

Настоящее внимательное отношение к другим, понимание закладываются в детстве. При формировании социальных навыков у ребенка постепенно развивается представление о других.

Рассмотрим конкретную ситуацию. В группе два ребенка с разницей в возрасте в несколько дней. Обоим по 2,5 года. Их вкусы совпали, из занятия в занятие тянется «война» за игрушку. Начало военных действий происходит, как правило, одинаково. Один «воин» сидит за столом и играет. Другой видит любимую игрушку в чужих руках и пытается забрать ее. Первый малыш пугается, накрывает собой игрушку и кричит: «Не дам!» Возникает конфликт.

Если при «делении собственности» присутствуют родители, они, конечно же, пытаются устранить конфликт. Очень важно сделать это правильно, сделать так, чтобы никто из малышей не чувствовал себя обделенным и обиженным. В таких ситуациях родители часто навязывают детям альтруизм, предлагают поделиться, уступить. Но слишком рано воспитывать щедрость в ребенке, если ему всего два-три года. Отдавая игрушку другому малышу, ребенок огорчается и недоумевает, почему он должен уступать.

Бывает, что родители пытаются сделать так, чтобы хорошо было всем, предлагая малышам поиграть вместе. Конечно, дети могут играть вместе. Но такая игра

Если речь идет о развивающих пособиях, то с ними лучше играть в одиночестве. Например, когда ребенок что-то собирает-разбирает, он помнит, какую деталь куда положил, помнит последовательность действий. «Вторжение» второго ребенка нарушит процесс, в такие игры не следует вмешиваться даже родителям. Исключением может быть ситуация, когда ребенок сам просит о помощи. Однако и в этом случае от взрослого требуется только подсказка.

не должна быть навязана, ребята должны сами захотеть совместной игры. У «счастливого обладателя» игрушки обязательно нужно спросить, готов ли он принять в игру другого ребенка.

Каковы должны быть действия старших, когда дети не могут поделить игрушку? Прежде всего, нужно показать ребенку, требующему игрушку, что его желания услышаны, их понимают, с ними готовы считаться. Важно начать объяснение не с запрета или отказа, а, например, вот так: «Тебе нравится эта игрушка? Ты тоже хочешь с ней поиграть?» Ребенок почувствует, что его понимают, и будет готов к восприятию дальнейших объяснений. Потом нужно объяснить, что сейчас с материалом занимается другой ребенок и что нужно подождать.

В два-три года ребенок сосредотачивается только на интересующем их в данный момент предмете, а другого ребенка, у которого этот предмет в руках, просто не замечает. Так что выхватывание игрушки у другого малыша это вовсе не осознанное проявление агрессии. Нужно переключить внимание ребенка с игрушки на ее «хозяина», объяснить, что он взял игрушку первым и теперь нужно подождать, когда он наиграется. И, наконец, надо рассказать малышу о дальнейших действиях: «Сейчас он закончит заниматься и уберет материал на место, хочешь я покажу тебе, где он должен лежать?» Как правило, ребенок соглашается пойти вместе со старшим и посмотреть, где «появится» игрушка, которую он ждет. Такое развитие событий не только гасит конфликт, но и лишний раз напоминает о принятом в группе правиле класть на место материал, с которым ребенок больше не играет. Кроме того, со временем ребенок осознает, что он сам тоже застрахован от подобных посягательств, и если кто-то в группе будет претендовать на его игрушку, то тоже должен будет подождать своей очереди.

«ТЫ МОЛОДЕЦ!» — ЭТО ПЛОХО

Очень часто мы говорим своим детям «Молодец!», считая, что поступаем правильно. Ведь похвала подбадривает ребенка, поднимает настроение, подталкивает на дальнейшие поступки, вызывающие одобрение. Однако, как показывают исследования и практика, такая похвала вызывает зависимость и отражается не лучшим образом на дальнейшей жизни ребенка.

Сейчас, когда ребенок совсем маленький, у него существует врожденная потребность в познании и малыш с удовольствием познает все окружающее. Ему, как правило, интересны все предметы: посуда, папины инструменты, кусочки ткани, обувь, стоящая у порога... Да все что угодно!

На занятиях в Монтессори-группах стоит запрет на употребление слова «молодец». Почему? Давайте разберемся!

Когда самые близкие ребенку люди — мамы, папы, бабушки и дедушки — начинают хвалить ребенка, произнося классические «молодец» или «умница», в его сознании формируется зависимость от похвалы. Эта зависимость так же вредна и опасна, как и любая другая. И, что самое страшное, остается на всю жизнь. При этом потребность в познании уменьшается, а зависимость от похвалы растет, и ребенок начинает что-то делать не потому, что ему интересно, а чтобы мы его похвалили.

Всегда следует помнить, что наши детки не всегда будут находиться рядом с нами, среди близких, они постоянно будут в коллективе. Сначала это будет детский сад, затем школа, институт, работа.

> Хвалите ребенка за отдельные действия словами: замечательно, хорошо, здорово, прекрасно у тебя получилось, красиво нарисовал, удачный выбрал цвет и т. п.

> Любите и поощряйте своих малышей, но делайте это правильно!

А в любом коллективе, к сожалению, могут присутствовать недоброжелательные или просто равнодушные люди. Отсутствие ожидаемой похвалы может привести к дискомфорту, как минимум, и стрессу — в худшем случае.

Говоря ребенку «молодец», вы оцениваете не конкретные его поступки, а его личность. Поэтому в будущем, не дождавшись похвалы, малыш будет думать, что не оценен не только его труд, но и он сам как личность.

Зависимость от похвалы может иметь самые разнообразные негативные последствия. Ведь когда детишки совсем маленькие, родители являются для них непререкаемым авторитетом, и малышам важна похвала из их уст. Но в подростковом возрасте все меняется — большое значение приобретает оценка сверстников, а мнение родителей уходит на второй план. Именно в этот период жизни велика вероятность пойти не той дорогой. Не секрет, что подростки часто совершают необдуманные поступки, приводящие к самым печальным последствиям, чтобы получить признание у сверстников.

Так что же, не хвалить? Обязательно хвалить, но похвала не должна касаться личности маленького человека. Это, кстати, касается и порицания: неодобрительная оценка должна относиться только к огорчившему родителей поступку ребенка, а не к его личности в целом.

Хвалите поступок ребенка, его действия.

В группе Монтессори, как правило, занимаются дети разных возрастов. Правила, которые заново создаются в каждой конкретной группе, могут немного отличаться по форме и содержанию, но всегда направлены на защиту интересов коллектива и каждого отдельного ребенка. Правила обязательны для всех, в том числе и для взрослых, таким образом воспитывается внутренняя дисциплина, основанная на признании прав другого человека, на уважении к нему и его работе.

Таким образом, ребенок получает необходимую эмоциональную оценку от близкого, потребность в познании у него остается, а зависимость от похвалы не возникает.

Привыкнуть по-новому обращаться к ребенку и общаться с ним, конечно, нелегко. Но это необходимо для воспитания полноценной, самодостаточной личности.

ОБЩЕНИЕ НА КОРТОЧКАХ

Почти все занятие Монтессори-педагог проводит на корточках. Почему? Учитель должен быть рядом, на уровне ребенка, обучение должно проходить «глаза в глаза». Вот что об этом пишет известный Монтессори-педагог Елена Хилтунен:

«Странная на первый взгляд позиция — взрослый, сидящий на корточках, стоящий перед ребенком чуть ли не на коленях и именно так объясняющий важные вещи. Во-первых, это очень неудобно, а во-вторых, не скатится ли на пол и его взрослый педагогический авторитет? Но стоит попробовать — и начинают происходить удивительные вещи: ребенок не только с первого раза слышит взрослого, но и гораздо охотнее с ним общается. Неприятно чувствовать себя опекаемым, зависимым и вынужденным подчиняться, а именно это прочитывает ребенок в позе взрослого, стоящего перед ним во весь рост, а то и нависающего над ним всем телом. Да и вообще, согласитесь, нелегко общаться с человеком, если видишь только его длинные ноги. Вот

- «Хочешь работать вместе — договорись об этом»
- «Можно наблюдать за работой других, не мешая им»
- «После работы приводим материал и рабочее место в порядок»
- «Когда трудно — просят о помощи и благодарят за нее»
- «Ты свободен в своем выборе, но только если не мешаешь другим»
- «Если игра занята, подожди, когда освободится»

и сопротивляются наши дети по мере сил, а взрослые искренне удивляются, почему надо столько раз объяснять одно и то же».

ЧТО ТАКОЕ КРУГ?

Кто-то из Монтессори-учителей назвал его «атмосферным явлением». Это не ежедневное занятие с традиционными пальчиковыми играми и песенками. Каждый круг имеет свою тему в зависимости от проживаемой ситуации. Многие круги связаны с обсуждением событий, происходящих в жизни детей дома и в детском саду. На других воспитатель рассказывает сказки, короткие истории из Библии. Осенью дети все вместе разглядывают фрукты и овощи, пробуют их на вкус, учатся молоть зерно и месить тесто. Зимой изучают свойства воды, растапливая над свечкой снег, или разучивают рождественские песенки. Здесь же отмечаются дни рождения детей и другие важные события, вспоминают, что кто-то из детей заболел или кому-то предстоит неприятный поход к зубному врачу. Круг проводится в течение 15 минут. За это время обсуждаются личные детские проблемы, календарь, история, география, биология, математика и словесность, пантомима и театр. Круг всегда ведет учитель, но он лишь помогает общему разговору. За ребенком остается право самостоятельного высказывания, попытки объяснить другим свое переживание. Учитель здесь ведет счет своим словам. Он профессионально провоцирует разгорающийся костерок общего разговора, в который каждый из детей подбрасывает свою щепочку.

Круг кончается через 15 минут. Но дух общей доброжелательности, уважения, доверия остается надолго, и, в конце концов, становится неотъемлемой частью уклада жизни Монтессори-группы.

Круг вы можете проводить и дома. Вам часто удается собраться всей семьей за столом на вечернее чаепитие, обсудить, рассказать о своих делах и заботах? Если в вашей семье это еще не традиция, у вас есть возможность завести такой ритуал. Подобные семейные «посиделки» очень полезны (если, конечно, они не превращаются в «разбор полетов» рабочего дня). Вы даете ребенку отличный урок доверия, взаимопонимания, создаете модель его будущих семейных отношений.

РОДИТЕЛЯМ НА ЗАМЕТКУ

Приучайте ребенка к порядку. Пусть он сам выберет место для игрушек. Ваша задача — вместе с ним класть вещи и игрушки именно на это место. Помогайте малышу поддерживать порядок на полке, ящике с игрушками или в шкафу. Заметьте: от вас требуется именно помогать, а не делать это за ребенка.

Как бы раздражены вы ни были, постарайтесь не ругать ребенка, если он что-то пролил, испачкал или разбил. Обязательно покажите, что своими действиями он причинил неудобство другим, и покажите, как ликвидировать последствия крушения: вытереть лужу, подмести и т. п. Ваша задача — не упрекнуть ребенка, а показать, как исправить оплошность и настоять, чтобы ребенок исправил ее сам.

Дети ценят последовательность событий, порядок во времени. Смещение графика для них не так страшно, намного тяжелее они воспринимают нарушение ежедневных ритуалов: вот мы встали, умылись, поели, поиграли и т. п. Не изменяйте привычный для ребенка ход событий, чтобы малыш чувствовал себя увереннее.

Следите, чтобы ваши требования были последовательными. Помните, что ребенок изучает вас, пытается понять, чего вы от него хотите. И если вы говорите одно, а делаете другое, то в его сознании поселяется хаос. Вскоре он просто перестанет реагировать на вас и ваши слова, чтобы защититься от стресса. Никогда не обещайте ребенку того, чего не можете выполнить.

Настало время подвести итоги.

Вы, наверно, уже убедились, что педагогическая система Марии Монтессори, с одной стороны, очень проста. Но в то же время она дает ребенку основательную базу для формирования всесторонне развитой личности, понимающей, что такое ответственность, порядок, но в то же время свободной, творчески развитой.

Если вы захотите отдать своего ребенка в Монтессори-садик, обязательно посетите пробные занятия и обратите внимание на ряд моментов.

Помещение

- Привлекательная ли комната, в которой находятся дети?
- В каком состоянии дидактические материалы, доступны ли они детям или выдаются только воспитателем?
- Поддерживается ли порядок?
- Есть ли в помещении садика спортзал и площадка для занятий на улице?

Воспитатель

- Какой тон у воспитателя по отношению к детям?
- Насколько спокойны его движения?
- Отвечает ли воспитатель на вопросы детей?
- Уважительно ли он относится к каждому ребенку?
- Есть ли у него «любимчики»?
- Слушаются ли воспитателя дети?
- Насколько понятно воспитатель объясняет?

Дети

- Часто ли воспитателю приходится подыскивать детям новое занятие?
- Следуют ли дети основным правилам поведения?

- Обращаются ли они к взрослому за помощью?
- Каков уровень самостоятельной работы в садике?
- Нравится ли детям в садике?

Дети из групп Монтессори, как правило, без труда поступают в школу. У них есть желание учиться и умение заниматься самостоятельно, большинство умеет концентрировать свое внимание, соблюдать установленные правила и общаться со сверстниками. Этими качествами ребенок уже с рождения одарен природой, а метод Марии Монтессори помогает развить и поддержать их. Каждый малыш по-своему уникален, и задача взрослых — не погасить эту искорку таланта!

Домашнее воспитание по системе Монтессори

Вы познакомились с основными принципами методики Марии Монтессори, некоторыми методическими пособиями, которые используют в группах развития. Нет сомнений, что педагогика этого автора — это не просто методика обучения детей, а целая система взглядов и принципов. Вам оказались близки принципы системы Монтессори? У вас есть желание общаться с ребенком и обучать его по этой методике? Для этого не обязательно отдавать ребенка в Монтессори-садик. Конечно, если у вас есть такая возможность — прекрасно, а если нет — не расстраивайтесь. Не стоит пугаться ее объемности. Эта система нацелена на практическую жизнь. Подумайте, какие принципы вам

Лучшие учителя для ребенка — это его родители. Для малыша мама и папа — образец, которому он подражает в процессе познания жизни. Он копирует их действия, взаимоотношения, а также запоминает многое из того, что видит, и это позже использует в своей взрослой жизни.

Ребенку необходимо, чтобы к нему относились с уважением. Ему важно, чтобы его выслушивали, ему необходимо видеть, что его собственные чувства и мысли не безразличны близким.

близки и интересны, что из пособий и игр вы можете предложить своему ребенку. Очень многое из того, что придумала Мария Монтессори, подойдет для «домашнего применения».

«У меня не получится...» Неправда!

Многим родителям нравится метод Монтессори, но как только речь заходит о его практическом применении, они останавливаются. Почему? Чаще всего родителей пугает следующее.

- Родители боятся, что мелкие предметы, бусы или иголки, которыми малыш манипулирует на занятиях, станут причиной несчастного случая. Откройте любую книжку по уходу за ребенком, и вы найдете настоятельные рекомендации не давать детям для игр мелкие предметы, которые они могут проглотить, засунуть в нос или ухо. По свидетельству Монтессори, опыту современных педагогов, ни разу ни один кроха не проглотил бусинку, иголку или другой мелкий предмет. Зачем его класть в рот, если рядом взрослый, который подскажет, куда положить этот предмет. Ведь намного интереснее положить бусинку в желобок, пришить пуговицу или сделать дорожку из бисера. Однако безопасность прежде всего! Поэтому, доверяя ребенку младше трех лет мелкие предметы, обязательно находитесь рядом с ним.
- Занятия по методу Монтессори на первых порах требуют много времени. Конечно, любому взрослому легче и быстрее убрать посуду самому, чем доверять это ребенку. Приходится все показывать, подправлять, объяснять и не один раз... Не отчаивайтесь, долго так продолжаться не будет.

Дети быстро привыкают трудиться — для них это нормально. Они учатся одеваться, застегивать пуговицы, завязывать бантики и шнурки, переливать воду, мыть руки, убирать за собой рабочее место, игрушки, подметать и многому другому. Не лишайте их подобного опыта, предлагая только детские наборы для кукол. Ограничивая таким образом своих детей, мы мешаем развитию ответственности, аккуратному обращению с вещами, а потом тратим силы и нервы, чтобы «достучаться» до ленивого подростка, объясняя, почему надо убирать за собой вещи и мыть посуду.

- Довольно часто родителей беспокоит, что будет с ребенком после обучения в Монтессори-садике. Не возникнут ли у него трудности с программой начальной школы? Эти опасения абсолютно беспочвенны. Все дети из групп развития по методике Монтессори, поступив в школу, могут похвастаться своими успехами. Как уже говорилось, у них сформирована внутренняя мотивация к обучению, они более дисциплинированны, умеют концентрировать свое внимание, отстаивать свое мнения, аргументируя его, и, что очень важно, у таких детей есть навык самостоятельной работы.

Ваши страхи развеяны? Тогда начнем. Что же нужно для того, чтобы метод Марии Монтессори «прижился» дома?

Тест для родителей

Для начала проведите небольшой психологический эксперимент. Вспомните некоторые свои эмоции в различных ситуациях и сравните свои чувства с теми, какие испытывает малыш, оказавшийся в подобной ситуации.

Раздражались ли вы, когда кто-нибудь торопил вас?

Естественный ритм вашего ребенка гораздо медленнее, чем ваш собственный.

У него не такое восприятие времени, как у взрослых. Дела не кажутся ему столь необходимыми и срочными. Он не может планировать будущее так, как это делаете вы. Ваш ребенок живет тем, что происходит с ним в конкретный момент.

Возникает ли у вас чувство обиды, когда кто-то указывает вам, что делать?

Желание быть независимым одно из самых сильных чувств вашего ребенка.

Он нуждается в вашей помощи и руководстве, но в то же время ему хочется быть независимым, то есть делать что-либо самостоятельно и так долго, как он того желает.

Замечали ли вы когда-нибудь, как по-разному воспринимается информация, донесенная до вас на словах, от информации, переданной другим способом — например, с использование приемов театрализации или других, не менее эффектных?

Действительно, мы предпочитаем слушать музыку, а не слышать о ней, рассматривать картины, а не читать, что на них изображено. Детское восприятие отличается от взрослого. Ребенку недостаточно только слов.

Малыш познает мир через призму собственных чувств.

Чувства вашего ребенка очень сильные: запахи, звуки, формы, цвета и вкусовые ощущения — все это он замечает впервые в жизни, и поэтому они волнуют его с особой силой. Он узнает мир через соприкосновение с предметами этого мира.

Помните ли вы свои переживания, когда кто-то, о ком вы заботились, причинил вам боль?

Маленький ребенок очень чувствителен. Ваш ребенок еще не научился контролировать свои чувства так, как это могут делать взрослые. И, не умея выразить свое состояние, он может скрывать обиду или выражать ее в противоречивом, раздраженном поведении.

Считаете ли вы, что смогли бы, например, научиться играть в теннис, читая книгу, наблюдая за другими или слушая кого-то, рассказывающего вам об этой игре?

Маленькие дети учатся, когда совершают действие. В то время как взрослые могут научиться некоторым вещам читая, наблюдая или слушая информацию, ваш ребенок почти всему обучается только через собственное действие. Он активно развивается умственно и физически, интенсивно тренируя ум и тело.

Будете ли вы хорошо себя чувствовать, если вокруг вас все будет в беспорядке?

У ребенка от природы развито очень сильное стремление к порядку. Ему необходимо жить в мире, где каждая вещь имеет свое собственное место. Ему нужен определенный режим, который вносит порядок в его жизнь. Маленький ребенок может быть глубоко расстроен беспорядком, хаосом. Возможно, он не сообщит вам об этом просто из-за того, что и сам не понимает причину своего дискомфорта, но вы должны знать, что хаос — мешает ребенку. Вы должны помочь малышу научиться устранять беспорядок.

Обижались ли вы, когда ваш друг, возможно не сознательно, оскорбил вас?

Ребенок, как и взрослый, обладает сильно развитым чувством собственного достоинства. Однако у него нет чувства перспективы, присущего взрослым, поэтому он не может отстранить от себя личную обиду, проанализировать или объяснить ее самому себе. Для вашего ребенка любое ущемление его достоинства является отрицанием его как личности. Это происходит, когда кто-нибудь называет его никудышным человеком или неудачником.

Был ли когда-нибудь в вашей жизни человек, которым вы восхищались и которому пытались подражать?

Ребенок обучается главным образом через подражание взрослым, которые ему близки. Для маленького ребенка родители — образец, которому он подражает в процессе познания жизни. Его отношение к родителям во многом напоминает поклонение кумиру. Он копирует поведение взрослых и их взаимоотношения, а также запоминает многое из того, что видит, и затем использует это в своей взрослой жизни.

Получали ли вы удовлетворение, когда узнавали что-то новое?

Для ребенка потребность расти и развиваться естественна и жизненно необходима. Он должен исследовать мир, который абсолютно неизвестен ему. Каждый новый предмет, который он открывает и о котором узнает, помогает ему в его познании мира и взрослении.

Помните ли вы то удовольствие, которое испытывали, когда, научившись чему-либо, вы хотели повторять это действие снова и снова?

Повторение необходимо для запоминания. Вполне естественно, что ребенок повторяет некоторые действия много раз подряд. Таким образом он может полностью овладеть ими. Он повторяет действия еще и потому, что они незнакомы и интересны ему. Он восхищен тем, что благодаря его усилиям может произойти какое-то событие, что он контролирует мир вокруг себя.

Просыпались ли вы когда-нибудь с ноющими мышцами после выполнения нового физического упражнения?

Мышцы маленького ребенка совсем не развиты. Вашему ребенку нужно долго расти и упражнять свои мускулы, чтобы они развились вполне. Рост и изменение тела ребенка происходят постепенно. В связи с этим ребенок иногда не может выполнить то или иное упражнение.

Замечали ли вы, что, полностью сосредоточившись, вы обучаетесь быстрее, лучше и с большим удовольствием?

Ребенок обладает от природы способностью концентрировать свое внимание на одном предмете. Благодаря этому качеству ребенок может полностью погрузиться в изучение какой-то вещи. Если его не прерывать, он будет заниматься самостоятельно достаточно долго.

Чувствовали ли вы полное удовлетворение от того, что вами хорошо выполнена какая-то работа?

Имея выбор, ваш ребенок предпочтет не играть, а выполнять «настоящую» работу, например убираться, готовить пищу или ухаживать за цветами. У детей есть глубокая любовь к настоящей, полезной деятельности, и они страстно желают разделять тяготы взрослого мира, выполняя значимую и необходимую работу. Они хотят участвовать в жизни семьи и помогать заботиться о них и окружающей их среде.

Чувствовали ли вы, что никто по-настоящему не понимает вас так, как вы понимаете сами себя?

Ваш ребенок эгоцентричен. Это значит, что он, главным образом, знает о своих собственных чувствах и желаниях и у него еще нет развитого истинного понимания чувств других людей. Настоящее чувство понимания и внимательное отношение к другим — это качество, присущее взрослым, которое развивается многие годы. Новорожденный ребенок знает только себя самого. В течение многих лет в результате социальных контактов ребенок постепенно развивает свои представления о других.

Чувствовали ли вы небольшое сожаление после того, как выполнили очень увлекательную работу?

Ребенок главным образом интересуется процессом выполнения дел, он не очень заботится о конечном результате.

Хотя конечный продукт может понравиться ребенку и он порадуется своему успеху и завершенности действия, но настоящее удовольствие ребенок получает от процесса самостоятельного выполнения работы. Заинтересованность в достижении поставленных задач, присущая взрослым, не поглощает внимания маленького ребенка, он целиком и полностью погружается в настоящий момент выполнения действия.

Приходилось ли вам когда-нибудь чувствовать, что вы уже «не молоды» для того, чтобы изучить что-нибудь новое?

У маленького ребенка есть определенные сенситивные периоды, когда ребенок наиболее восприимчив к тем или иным способам, видам деятельности. В жизни ребенка сенситивные периоды длятся определенное время. Для взрослых очень важно определить, какой этап переживает ребенок, и помочь ему овладеть необходимой деятельностью в наилучший для него период.

Возможно, этот небольшой психологический эксперимент поможет вам лучше понять своего самого дорогого человечка, лучше почувствовать его, посмотреть на многие вещи глазами малыша.

Советы родителям

Советы, которые вы прочитаете, основаны на идеях Марии Монтессори. Они касаются разных сторон жизни семьи и взаимоотношений с ребенком. Воспринимайте их как рекомендации, проверенные временем и опытом, которые помогут вам лучше понять своего малыша, создать необходимые условия для его развития и просто сделать его жизнь интереснее.

ВАША ДОМАШНЯЯ ОБСТАНОВКА

Покупайте одежду, которую ребенок может надеть или снять самостоятельно (брюки с эластичным поясом, рубашки с большими пуговицами, свитера с широким воротом).

Поставьте в комнате ребенка детскую мебель: низкий стол, зеркало, ящики (которые ребенок мог бы с легкостью открывать). Мебель должна быть прочной, легкой и соответствовать росту ребенка (вешалка, на которую ребенок мог бы самостоятельно вешать свои вещи и т. д.).

Одежда ребека должна быть удобной

Сделайте комнату ребенка яркой, привлекательной и простой, используйте легко моющиеся поверхности. Тщательно отбирайте предметы для комнаты ребенка. Новые предметы предлагайте постепенно, не более двух одновременно. Убирайте из поля зрения ребенка предметы, которые, по вашему мнению, могут быть испорчены им.

Выделите ребенку место в других комнатах для его личных

вещей: полотенец, зубной щетки и т. д. Можете пометить каждое место цветной ленточкой, чтобы ребенок мог легко узнать его.

Дайте ребенку в личное пользование чистящие материалы: маленькую губку, тряпку для пыли и веник для того, чтобы он сам мог убирать свою комнату.

ВАША СОВМЕСТНАЯ ДЕЯТЕЛЬНОСТЬ

Почаще ходите вместе с ребенком в библиотеку, зоопарк, музей, детский театр, парк, на почту, местную фабрику, пляж и игровую площадку. Обсуждайте увиденное.

Пусть ваш ребенок участвует в домашних делах: покупке продуктов, приготовлении пищи, уборке квартиры, садоводстве, шитье. Дайте ему задание и необходимые материалы.

Делитесь с ребенком своими интересами и увлечениями: знаниями о спорте, птицах, марках, растениях, животных, вязании, рисовании, игре на музыкальных инструментах.

Предложите ребенку вырезать из журналов картинки. Обсудите с ним рисунки. Как можно чаще читайте и рассказывайте ему различные истории.

Возьмите с собой ребенка в гости к родственникам и друзьям, но ненадолго. Если ребенок устал, займите его чем-нибудь. Поощряйте желание бабушки и дедушки заниматься с ребенком.

Покажите ребенку, как ухаживать за растениями и животными в вашем доме. Позвольте ребенку, по мере его сил и возможностей, тоже нести долю ответственности.

Уход за растениями или домашними животными учит ответственности

САМОСТОЯТЕЛЬНАЯ ДЕЯТЕЛЬНОСТЬ РЕБЕНКА

Дайте ребенку пластиковый тазик с водой, несколько пластиковых бутылок, воронку, губку, сито и фартук. Предоставьте ему возможность свободно использовать эти вещи и узнавать свойства воды. Покажите ребенку, как убрать место после занятий.

Предоставьте ребенку возможность для игр с песком: либо в песочнице, либо на пляже. Возьмите с собой ведерко, формочки, сито, воронку, лопатку, лейку для увлажнения песка. Дома дайте ребенку щетку и совок и попросите его очистить предметы от песка.

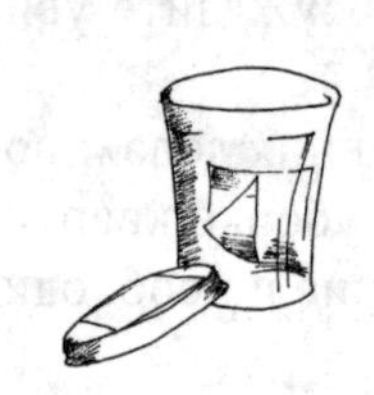

Обычные пластиковые баночки с крышками могут стать развивающей игрушкой

Формочки, пуговицы, крышки, тесто, скалка для теста могут заинтересовать вашего ребенка. С этими предметами он в состоянии заниматься довольно долго. К примеру, пуговицы можно сортировать по разным признакам (по цвету, размеру, одного вида), к пластиковым стаканчикам или банкам подбирать крышки (чтобы они были более привлекательными, оклейте их разноцветной самоклеящейся пленкой). А скалку для теста даже использовать по прямому назначению.

Тесто для игр вы можете легко приготовить самостоятельно следующим образом: перемешайте 1 стакан муки, 1 ложку соли, несколько капель пищевого красителя. Добавьте воды столько, чтобы тесто стало густым. Остатки теста могут храниться несколько дней в закрытом пластиковом контейнере или полиэтиленовом пакете в прохладном месте. Если тесто отсырело и стало слишком влажным, следует добавить и размять в нем небольшое количество муки.

Ребенка также могут привлечь краски, большие деревянные кубики, книги, камушки и др. Напоминайте ребенку о том, что у каждого предмета должно быть свое место. Во многом успех этих объяснений зависит и от вашего личного примера.

ОТНОШЕНИЯ СО ВЗРОСЛЫМИ

Если папа работает далеко от дома, то желательно чтобы ребенок видел его за работой и в домашних условиях. Когда ребенок видит, как отец выполняет какую-то работу дома, ему легче представить что значат слова «папа на работе».

Создавайте условия для новых, впечатлений: поход в парикмахерскую, к врачу, в музей, кафе, магазин и т. п. Предварительно объясните малышу, куда вы идете и зачем. Сообщите ребенку о будущем визите заранее. Можно поискать и рассмотреть соответствующие картинки.

Отвечайте честно и просто на все вопросы вашего ребенка. Постарайтесь не лгать ему и выполнять данные обещания. Очень важно выполнить обещание, даже если речь идет о мелочах. Вспомните, как часто вы

> Детей учит то, что их окружает.
> Если ребенка часто критикуют — он учится осуждать.
> Если ребенка часто хвалят — он учится оценивать.
> Если ребенку часто демонстрируют враждебность — он учится драться.
> Если с ребенком обычно честны — он учится справедливости.
> Если ребенка часто высмеивают — он учится быть робким.
> Если ребенок живет с чувством безопасности — он учится верить.
> Если ребенка часто позорят — он учится чувствовать себя виноватым.
> Если ребенка часто одобряют — он учится хорошо к себе относиться.
> Если к ребенку часто бывают снисходительны — он учится быть терпеливым.
> Если ребенка часто подбадривают — он учится уверенности в себе.
> Если ребенок живет в атмосфере дружбы и чувствует себя нужным — он учится находить в этом мире любовь.

говорите малышу, который просит вас поиграть с ним: «Попозже!», «Подожди!», «Вот сейчас это сделаю и...» И вы всегда выполняете обещанное?

Если у вас возникают некоторые трудности в воспитании ребенка, не стесняйтесь обращаться за консультацией к психологу, опытному педагогу или врачу.

Когда во что играть

Каждый ребенок — индивидуальность. Одни начинают читать в два-три года, другие значительно позже. Одни постоянно просят любимые игры-шнуровки, другие только путают веревочки и забрасывают их в дальний угол. Поэтому будьте чутки к малышу и не навязывайте то, что ему не по душе. Но все равно существуют возрастные ориентиры, которые помогут вам определиться с выбором игрушек. Особенно этот вопрос актуален на первом году жизни, когда ребенок еще не может объяснить маме, что ему нужно в данный момент.

> При уходе за ребенком первого года жизни взрослые имеют дело не с представителем органической природы, который ничего не знает и не умеет, пачкает памперсы, кричит и хаотично двигает руками и ногами. Новорожденный малыш уже внутренне организован, одарен природной активностью и имеет свои предпочтения.

ИГРУШКИ ДЛЯ ДЕТЕЙ ОТ 0 ДО 3 МЕСЯЦЕВ

Мобиль

Самая подходящая игрушка для малыша, которому еще не исполнился месяц, — это мобиль.

Мобиль — подвижная подвеска, которая укрепляется над кроваткой ребенка. Эта игрушка способствует развитию зрения.

Преимущества мобиля перед другими традиционными игрушками для самых маленьких (например, гирляндой из пластмассовых игрушек или резиночкой с нанизанными на нее шариками) в том, что игрушки на нем движутся, а ребенку в этом возрасте наиболее интересны именно движущиеся предметы.

Мобиль со съемными подвесными игрушками

Менять игрушки на мобилях можно самостоятельно. Выбирайте игрушки или просто предметы быта, которые должны находиться на расстоянии 25–30 сантиметров от глаз ребенка. Это могут быть разноцветные фигурки-оригами, яркие банты, легкие мягкие игрушки, помпончики из ниток, бумажные новогодние игрушки (лучше всего — объемные, сделанные из папиросной бумаги) и даже детские вещи, например варежки и носочки.

Все предметы, которые подвешиваются к мобилю, должны быть яркими и, конечно, легкими и небьющимися. Их не должно быть слишком много: оптимальное количество — 3–4. Желательно, чтобы они не были перегружены мелкими деталями и имели простую форму.

Одно из важных «открытий» новорожденного двух-трехнедельного возраста — это цвет. Малыши с удо-

---

Мобиль — это не изобретение последних лет. Аналоги современных мобилей издавна существовали у многих народов. На севере России до сих пор делают из дерева так называемых «драночных птиц». Правда, раньше эти птицы в крестьянских избах в основном играли роль оберегов. Но, безусловно, они радовали и малышей. Современные мобили — это яркие музыкальные карусели с подвесными разноцветными игрушками, выполненными из ткани или пластмассы.

вольствием рассматривают игрушки одинаковой формы, но разных цветов. Можно прикрепить игрушку к мобилю, предварительно сняв с него все остальные предметы, или просто подвесить над кроваткой. Через 2–3 дня замените ее похожей игрушкой другого цвета. Попробуйте использовать игрушки не только контрастных, но и близких тонов (например, желтого и оранжевого).

Схематическое изображение человеческого лица

Если вы внимательно будете наблюдать за своим малышом, то увидите, что он с интересом разглядывает ваше лицо. Через несколько месяцев вы поразитесь тому, как ребенок умеет «считывать» с лица малейшие оттенки вашего настроения.

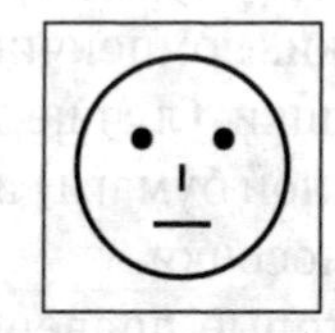

Схематическое изображение человеческого лица

Подобные изображения стимулируют развития зрения. Прикрепите одно из них на расстоянии 20 сантиметров от глаз малыша.

Контрастные изображения

Распечатайте на принтере или нарисуйте от руки черно-белые клетки (5×5 см) в шахматном порядке. Такую картинку вы можете повесить на стенку кроватки, на стену около кроватки, в коляске. Это поможет младенцу научиться фокусировать свой взгляд.

Контрастные изображения

Кроме «шахматной доски», вы можете повесить картинку с вертикальными и горизонтальными полосками, кружками.

Если вы найдете подходящую по расцветке ткань, можете обшить ею картонные квадраты. Эти тканевые фигуры можно будет давать в ручки малышу, стимулируя не только зрение, но и тактильные ощущения — ребенок будет ощупывать разные во фактуре ткани.

Знакомимся с цветом

В два месяца ребенка уже интересуют различные предметы, контрастные рисунки, узор на обоях. Почти все время, свободное ото сна и еды, он что-то разглядывает, к чему-то прислушивается...

Предоставьте малышу разглядывать декоративные пятна чистого, яркого цвета (светло-красного, желтого, голубого, ярко-зеленого на сером или кремовом фоне). Эти пятна могут представлять собой геометрические фигуры или рисунки, наклеенные на стены или развешенные по бокам кроватки.

Следите за тем, чтобы в поле зрения ребенка не попало слишком много ярких объектов — это помешает ему сфокусировать зрение на каком-то одном пятне (рисунке) и хорошо рассмотреть его.

Различаем цвет

Наденьте яркий цветной носок на ножку ребенка. Расположите его ножку так, чтобы он мог видеть носок. Увидев пеструю расцветку, ребенок станет более активным. Вначале малыш будет останавливать взгляд на цветном чисто случайно, но вскоре научится сосредоточиваться на нем более продолжительное время.

Специалистами замечено, что дети в возрасте двух месяцев охотнее всего фиксируют взгляд на предметах желтого цвета.

Теперь натяните носок на другую ножку или наденьте носки на обе ножки.

Затем наденьте один из носков ему на ручку. Наблюдайте, как малыш начинает приближать руку к глазам и фиксировать взгляд на том, что он видит.

Таким образом малыш будет учиться различать цвета.

Звенящие игрушки

Какие игрушки специалисты называют звенящими? Это традиционные погремушки, «пищалки», колокольчики, дудочки, неваляшки. Одним словом, все, что издает тот или иной звук. Эти игрушки способствуют развитию слуха и познавательных способностей малыша.

Выбирая игрушку, обратите внимание на ее звук. Игрушка, которая может «перекричать» ваше чадо в момент его плохого настроения, не принесет ему ни радости, ни пользы, а просто напугает малыша. Звук в игрушке не должен быть резким или очень громким. Послушайте сами. Вам этот звук приятен, интересен, не вызывает раздражения? Тогда смело предлагайте игрушку ребенку.

Потрясите погремушкой или другой звенящей игрушкой на расстоянии не более 1,5 м от правого или левого уха малыша. Скорее всего, он повернет голову в вашу сторону.

Игрушки, издающие звук, способствуют развитию слуха

Звучащие игрушки можно подвешивать над кроваткой ребенка или к мобилю так, чтобы малыш мог касаться их руками. Через какое-то время ребенок «сделает вывод», что, дотрагиваясь до игрушки, он заставляет ее звучать.

Тряпичные браслеты

Тряпичный браслет на ручку

Такие браслетики на ручку ребенка вы можете сделать самостоятельно или купить готовые.

Представляют они собой цветную ленту, застегивающуюся на липучку, или готовую резинку из материи (подойдет и обычная не тугая махровая резинка для волос). К такому браслетику пришивается бубенчик или небольшая звенящая игрушка от погремушки.

Браслет надевается ребенку на запястье то правой, то левой ручки. Когда малыш размахивает ручками, игрушка звенит и привлекает внимание ребенка.

> Специалисты советуют: Если у ребенка наблюдаются нарушения двигательной функции, то на проблемную ручку надевайте браслетик чаще.

Такие игрушки способствуют развитию координации движений рук и развитию слуха.

Малышам к 2–3 месяцам погремушку на браслетике можно заменить на яркое объемное изображение, например, большой искусственный цветок или подходящую по размеру мягкую игрушку.

Неваляшки («Ваньки-встаньки»)

Эти всем известные куклы способствуют развитию зрения, слуха и познавательных способностей малыша.

Это интересно

Неваляшка в России появилась не так давно — менее 200 лет назад. Историки считают, что пришла она к нам из Японии. В Японии эту игрушку называют дарума и делают из дерева или папье-маше. Считается, что эта игрушка приносит удачу людям, упорным в достижении своей цели. Первые русские деревянные неваляшки, появившиеся на ярмарках в начале XIX века, назывались «кувырканами». Сначала это были купцы, клоуны и девочки на шаре.

Обычно малыши с удовольствием следят за раскачиваниями этих кукол. Игрушки издают приятный переливающийся звук.

Неваляшка

Переверните малыша на животик и поднесите к игрушке. Покачайте неваляшку, посмотрите на реакцию ребенка. Дотроньтесь его ручкой до игрушки, чтобы она снова пришла в действие. Через какое-то время малыш догадается о связи между своими действиями и игрушкой.

Игрушки для развития тактильных (кожных) ощущений

К этим игрушкам относятся любые кусочки тканей и других материалов, которые можно вкладывать в ручку ребенка или проводить по его ладошке. Помогите малышу узнать разнообразие окружающего мира.

ИГРУШКИ ДЛЯ ДЕТЕЙ ОТ 3 ДО 6 МЕСЯЦЕВ

В 4 месяца у малыша появляется способность определять точное расстояние до предмета и следить за его движением. Теперь вашему малышу необходимы не только тактильные ощущения, о которых говорилось выше. Сейчас для него важно сочетание вижу-трогаю-чувствую.

Он уже может захватывать игрушку, висящую над ним. Для этого подойдут подушечки, погремушки, а

Выбирайте разнообразную одежду: купите или сшейте распашонки из тканей, разных на ощупь, — и тогда каждое переодевание станет для малыша маленьким открытием. Пусть в его гардеробе с первых дней жизни будут не только одинаковые трикотажные комбинезончики, но и рубашечки из гладкого сатина и мягкой фланели (можно ворсом внутрь), ажурного шитья и невесомого батиста. Как знать, вдруг именно эти первые детские впечатления впоследствии повлияют на формирование будущего музыканта, художника или скульптора...

также тряпичные куклы и небольшие свернутые салфетки.

Предлагайте ребенку удобные для захватывания игрушки. Это могут быть игрушки из мягкого материала или, наоборот, с выступающими ребристыми деталями.

В 5 месяцев у ребенка появляется новый, очень важный навык — малыш берет игрушку из рук взрослого и удерживает ее. Пришло время кубиков. Кубики должны быть небольшие, со стороной ребра не больше 4 см, разноцветные и желательно деревянные. Подойдут также игрушки, которые можно перекладывать из руки в руку, например кольца.

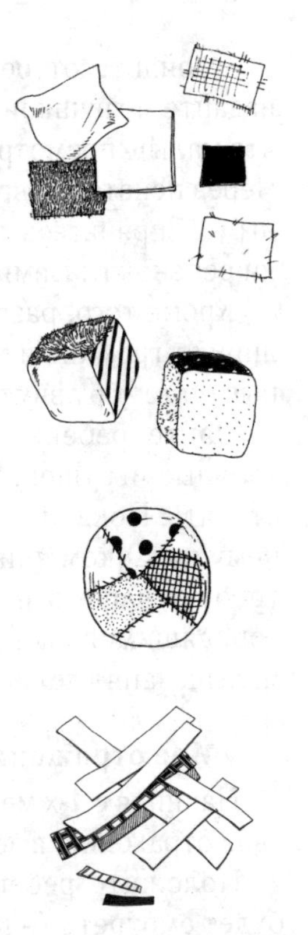

Тряпичные игрушки способствуют развитию тактильных ощущений

Тряпичные мячики

Очень нравятся малышам тряпичные мячики. Они могут быть разного размера: самые маленькие, которые легко поместятся в ладошку малыша, могут быть диаметром 2–3 см в готовом виде. Самые большие могут быть такими, что держать их можно будет только, обхватив обеими ладошками.

Кроме таких мячиков любят малыши тряпичные полоски. Они шьются из длинных прямоугольных лоскутков, наполняются любыми наполнителями.

ЗВУЧАЩИЕ ИГРУШКИ

К ним относятся все игрушки, способствующие развитию слуха малыша. Бубен, барабанчик, дудка, свистки, погремушки — все эти игрушки будут вам помощниками.

Отойдите от ребенка подальше и издайте игрушкой звук. Убедитесь, что малыш посмотрел в вашу сторону. Через некоторое время повторите эту игру. Спрячьтесь и проверьте, ищет ли ребенок глазами источник звука.

Кроме того, развитие слуха стимулируют громкие и тихие, а также разные по тембру звуки.

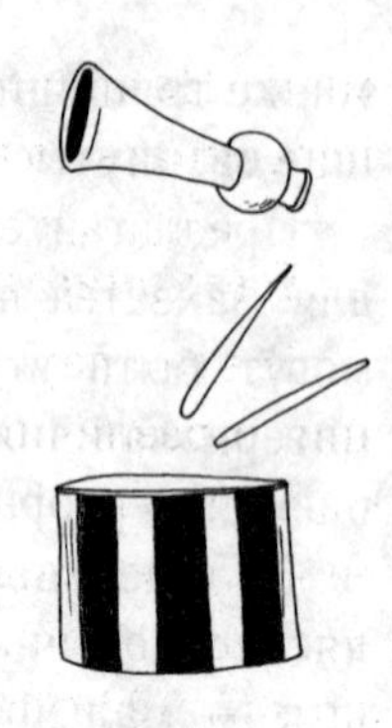

Звучащие игрушки

Дайте ребенку любую из музыкальных игрушек, по которой можно стучать. Покажите, как постучать по нему кулачком или ладошкой. Дальше эта игра уже не требует вашего присутствия. Более того, по звукам, доносящимся из кроватки, вы будете знать, что ваш малыш занят делом и доволен жизнью.

«Мое отражение»

Начиная с 4-х месяцев малыши любят рассматривать свое отражение в зеркале.

Положите ребенка в кроватку. Неважно, куда он будет смотреть — перед собой или в сторону. Закрепите небьющееся зеркальце на одной из сторон кроватки на расстоянии 20 см от глаз ребенка. Разговаривайте с малышом и, когда вы удостоверитесь, что он слышит ваш голос, легонько стукните пальцем по зеркалу, чтобы привлечь его внимание. Зеркальце будет занимать ребенка, пока он лежит в кроватке.

Можно использовать готовые игрушки с зеркалами.

ВОЗДУШНЫЙ ШАРИК

Малютке доставляет удовольствие что-то попинать ногами. Тоненькой веревочкой привяжите к его ножке легкий воздушный шарик. Пусть забавляется! Совместить полезное с приятным, а именно гимнастику и новые ощущения, можно с помощью большого надувного мяча. На нем интересно лежать животиком, спинкой, перебирать по нему ножками...

Различаем цвета

В этот период у малыша формируются представления о различии цвета. Вырежьте из плотного картона одинаковые фигуры (это могут быть круги, треугольники, квадраты и др.) разных цветов. Выбирайте яркие насыщенные цвета. Достаточно будет 4–5 цветов. Прикрепите фигуры на спинку кроватки. Называйте цвет фигуры, которая понравилась малышу. Как вариант этой игры, вы можете показывать фигуры по очереди, называя цвет каждой.

Бусы

Их можно хватать, ощупывать, трясти. Вам достаточно показать малышу связку бус, и он быстро поймет, что с ними делать. Когда малыш ухватится за нитку, потрясите бусы вместе с ручкой ребенка.

Можно использовать покупные погремушки-нити, если игрушки на них по размеру и форме удобны для захватывания детской ручкой.

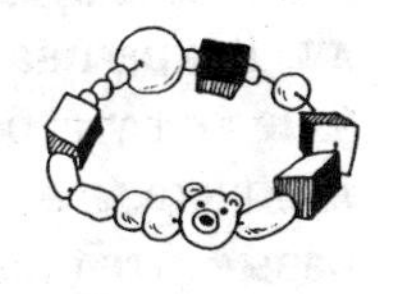

Как правило, привлекают малышей разноцветные бусы.

Разноцветные бусы привлекательны для малышей

Очень хорошо подходят для развития пальчиков кисточки и помпоны из ниток.

Дайте подобную метелочку в ручки ребенку. Он будет перебирать пальчиками нитки и через какое-то время поймет, что может шевелить каждым пальчиком отдельно.

Намотайте слегка нитки на его пальчики. Малыш будет пытаться освободиться от ниток, стараясь шевелить пальчиками отдельно.

Такие игры помогают развивать зрительно-моторную координацию, тактильные ощущения и мелкую моторику. Хорошо развитая мелкая моторика в будущем поможет вашему малышу овладеть связной речью.

ИГРУШКИ ДЛЯ ДЕТЕЙ ОТ 7 ДО 9 МЕСЯЦЕВ

Очень важно в этот период физическое развитие ребенка. Малыш начинает осваивать ползание. О том, насколько важно ползание в развитии малыша, мы поговорим в главе, посвященной физическому развитию.

Чем вы можете помочь малышу в освоении этого нелегкого дела? Во-первых, опустите его на пол, постелив заранее коврик или одеяло (очень выручит вас в этом случае развивающий коврик). Представляете, какие возможности откроются для ребенка?

Старайтесь разговаривать с малышом как можно больше. Конечно же, вы разговаривали с ним и раньше, но сейчас разговор с ребенком приобретает особое значение. Называйте все вещи, которыми пользуетесь вы и малыш, продукты, которые он видит, игрушки, одежду. Дотрагивайтесь до частей тела ребенка, называя их у него и у себя. «Это твой нос, а это мой нос; это твоя ладошка, а это моя ладошка». На улице показывайте и называйте ему машины, птиц, зверей, цветы.

Комментируйте действия малыша простыми предложениями: «Маша ползет к стулу. Маша берет игрушку. Это кукла. Маша бросила куклу. Кукла упала». Когда вы моете малыша, говорите ему, что вы моете ручку, животик, спинку. Перед сном назовите кроватку, одеяло, подушку.

Для чего это необходимо? Прежде всего, вы развиваете речь ребенка.

> Переселив малыша на пол, не пропустите один важный момент: на смену гулению приходит лепет. Это значительный скачок в речевом развитии вашего ребенка. Теперь малыш уже не растягивает гласные звуки, а начинает повторять слоги из гласного и согласного.

Именно поэтому ваши предложения, обращенные к малышу, должны быть простыми, понятными и интонационно богатыми. Одним словом, говорите с выражением. Вспомните тексты из букварей для начальных классов. Раньше малыш реагировал на эмоциональный поток вашей речи. Сейчас он учится воспринимать ее смысл.

Книжки

Начните показывать малышу книжки с картинками. Конечно же, речь идет не об энциклопедических томах. Какие книжки подойдут малышу в этом возрасте? Выберите напечатанные на плотном картоне с яркими и четкими рисунками. Это могут быть хорошо иллюстрированные произведения детских классиков (например, А. Барто, К. Чуковского), сказки. Показывая картинку, вы можете сопровождать ее небольшим стихотворением.

Можно использовать карточки для лото (однако обратите внимание, чтобы картинки были не мелкие, иначе ваш малыш просто «не увидит» их).

Как часто и долго рассматривать книжку? Ответ один: пока у малыша есть интерес. Некоторых детей такие занятия могут увлечь на 15–20 минут, а кому-то будет достаточно и 2–3 минуты. И то и другое хорошо. Пусть в его библиотеке будет побольше книжек, картинок и рисунков. Каждый день вы сможете предлагать малышу новое «чтение».

Такими простыми, на первый взгляд, развлечениями вы учите ребенка очень многому. Развивается его речь, расширяется кругозор, он учится концентрировать свое внимание, созерцать и, во что пока трудно поверить, любить чтение и книги.

Игрушки с наполнителями, мячи, карандаши

В этот период у малыша по-прежнему идет активное развитие рук. Кисть руки становится все более самостоятельной. К 8–9 месяцам ваше чадо уже может сделать «пока-пока» и поиграть в ладушки. Постепенно ребенок учится брать предметы не всей ладошкой, а кончиками пальцев, развивается так называемый «пинцетный захват». Сейчас самое время предложить малышу маленькие мячики, незаточенные карандаши, а также игрушки с наполнителями. К таким игрушкам могут относиться и самодельные мешочки, наполненные крупой или мелкими шариками. Такие игрушки способствуют развитию мелкой моторики, тактильной чувствительности.

Игрушечные музыкальные центры

Суть таких игрушек проста: нажимаешь на кнопку — раздается мелодия (варианты: звуки животных, инструментов и т. п.). Однако эти игрушки нравятся почти всем малышам. Вам достаточно показать, как нажимаются кнопки. Дальнейшая импровизация за малышом.

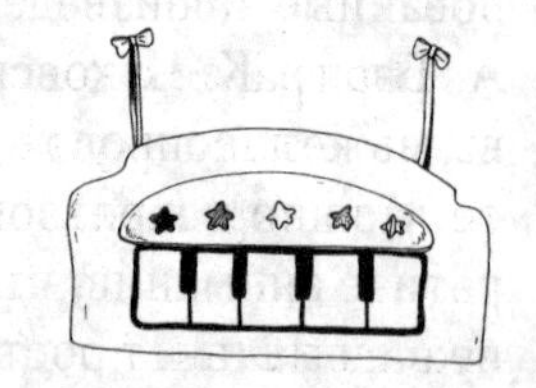

Музыкальный центр

Такие игрушки способствуют развитию зрительно-моторной координации, стимулируют развитие мышления (у ребенка устанавливается логическая связь между действием и результатом: нажал — получил звук).

Игровые центры

Выглядят они как плоские доски из пластика с набором различных игрушек. Это могут быть зеркала, шарики, колокольчики, телефонные диски, разноцветные кнопки разных размеров, двигающиеся вправо-влево фигурки, счеты и т. п. Такие центры вы без труда сможете выбрать в магазинах. Чем больше манипуляций предлагает игрушка, тем лучше. И, конечно же, перед покупкой оцените игрушку на прочность.

Игровой центр

Игровые центры способствуют развитию мелкой моторики и помогают малышу научиться манипулировать различными предметами.

Игрушки для игр в ванне

Все, что способно выдержать «водные процедуры», подойдет в качестве игрушек для игр в ванной. Это могут быть всевозможные губки различных форм и цветов, плавающие уточки, рыбки, кораблики и т. п. Также подойдут пластиковые стаканы и бутылочки. Покажите малышу, как наливать и выливать из них воду. Если в ванне нет пены, бросьте на дно 2–3 неплавающих игрушки, покажите малышу, как доставать игрушки со дна. Побуждайте его делать это самостоятельно.

Поиграйте с тоненькой струйкой воды из крана. Подставьте ладошку ребенка под струйку, затем поверните ладошку. Предложите малышу «взять» струйку. Как только малыш поймет, что ее нельзя ухватить руками, эта игра станет любимой. К тому же такое упражнение очень полезно, так как струйка нежно массирует ладошку ребенка.

ИГРЫ ДЛЯ ДЕТЕЙ ОТ 9 ДО 12 МЕСЯЦЕВ

В этот период жизни ваш малыш готовится к очень ответственному событию — первому шагу. Весь его организм работает над достижением этой цели. Все, что нужно малышу в этом возрасте, — это больше свободы действий и движений.

В 11 и 12 месяцев дети активно начинают подражать взрослым. Многие движения тут же перенимаются: положить куклу в кроватку спать, напоить из чашечки котика, «поговорить» по телефону и т. д. Поэтому и игрушки должны быть подходящие:

- телефон;
- куклы;
- мягкие игрушки-животные;

- набор посуды;
- сумочка, корзинка;
- игрушка, на которой можно сидеть (например лошадка-качалка);
- машинки;
- пирамидки.

Пирамидки

Всем нам известная еще с нашего детства игрушка. Сейчас в продаже вы найдете огромное количество пирамидок. Какую выбрать? Желательно, чтобы пирамида была сделана из пластмассы. В отличие от деревянной ее легко мыть, можно использовать для игр в ванной, она безопасна, когда малыш захочет попробовать ее на зубок.

Купите 2–3 пирамидки разных размеров, цветов и форм из 4–6 колец. Эти простые игрушки пригодятся вам и в дальнейшем.

Покажите малышу, как надевать и снимать кольца пирамидки на стержень. Сейчас задача малыша научиться выполнять эти действия, не учитывая пока величину колец. Держа стержень в руках, попросите ребенка: «Сними колечко!» Если он в затруднении, помогите ему. Когда все кольца сняты, прокомментируйте действия ребенка, скажите ему, что он снял все колечки, больше колечек нет. В конце занятия вы снова надеваете кольца на стержень, ребенок за вами наблюдает.

Ближе к году малыш сможет надевать колечки на стержень. Для начала ограничьтесь 1–2 кольцами, постепенно увеличивая их число.

Самостоятельно собрать пирамидку малыш сможет примерно к году и трем месяцам, а правильно расположить колечки — к полутора годам.

Правильно собирать пирамидку малыш сможет уже к полутора годам

Игры с пирамидками развивают мелкую моторику, зрительно-моторную координацию. С помощью колец от пирамидки вы можете называть малышу цвета, цифры, вводить понятия «больше»-«меньше».

Кубики

При покупке выбирайте наборы кубиков разных цветов. Также в продаже есть наборы, в которые входят не только кубики, но и предметы других форм: цилиндры, конусы, пирамиды. Все они не только удобный строительный материал, но и прекрасные наглядные пособия для запоминания цветов, названий форм.

Покажите малышу, как строить из кубиков башню, а потом разрушьте ее на его глазах (хотя последнее действие скорее всего он освоит самостоятельно и без вашей помощи). Какое-то время строить будете только вы, а малыш с восклицанием «Бах!» будет разрушать ваши творения. Будьте терпеливы, и наступит момент, когда ребенок впервые осознанно сам поставит кубик на кубик, получая от этого не меньшее удовольствие, чем от разрушения.

Игры в кубики развивают зрительно-моторную координацию, мелкую моторику, познавательные способности.

Игрушки-коробки

Подойдут любые закрывающиеся коробки с крышками, пластиковые банки из-под кофе и т. п. (крышки не должны быть завинчивающимися). Положите в коробку любую игрушку, шарик, другой предмет. Потрясите коробкой перед ребенком. Скорее всего, малыша привлечет звук. Дайте ему поэкспериментировать с коробочкой, спрашивая: «Что там внутри? Что это звенит?». Если малыш не догадается сам открыть коробку, покажите ему, комментируя все свои действия. Как правило, одного показа бывает достаточно. Малыши очень быстро понимают, как извлечь содержимое. Меняйте в

Игрушки-коробки

коробочках игрушки, спрашивайте ребенка, что он достал из коробки. Рассматривая игрушки, используйте слова: «большой», «маленький», «тяжелый», «легкий», «мягкий», «твердый», «пушистый» и т. п.

Для сравнения предлагайте ребенку пустые коробки. Помогите ему сравнить: «В этой коробочке что-то звенит, а в этой нет; эта коробка тяжелая, а эта нет. Посмотри, что же в этой коробочке лежит? Она пустая! Ничего в ней нет».

Когда ребенок овладеет искусством вытаскивания предметов из коробки, усложните задание. Плотно заклейте картонную коробку, а в стенках проделайте отверстия круглой, квадратной, треугольной форм. Теперь малыш должен вытащить игрушку, просунув руку в отверстие.

В качестве игрушек подойдут любые крупные пуговицы, катушки, кубики, прищепки и т. п.

В продаже вы сможете найти готовое пластиковое ведерко с крышкой и прорезями и фигурки соответствующей формы и размера. Довольно скоро малыш поймет, что шарики можно просунуть в круглые дырочки, а кубики — в квадратные.

Игры с коробочками развивают мелкую моторику пальцев, учат брать предмет из любого положения, способствуют развитию координаций движения, развитию понимания речи и познавательных способностей.

В этом же вам помогут и такие традиционные игрушки, как матрешки.

Матрешки и игрушки-гнезда

Покажите малышу, как вы вкладываете маленькую матрешку в большую и т. д. Рассказывайте о размере каждой куклы: маленькая, еще меньше, самая маленькая.

Очень нравится малышам разбирать матрешку, вынимая по очереди игрушки. Как только малыш впервые самостоятельно справится с этой задачей, такая игра сможет занимать его надолго.

Игрушки-гнезда по принципу похожи на матрешку. Это вкладывающиеся друг в друга стаканчики разных форм — цилиндры, усеченные трапеции, конусы.

Матрешки

Сначала покажите ребенку, как играть с двумя предметами — большим и маленьким. Когда малыш усвоит, что только в большой стаканчик можно поставить маленький, а не наоборот, увеличьте количество предметов.

Игрушка стимулирует развитие координаций движений, мелкой моторики, познавательных способностей, логического мышления.

На глазах у ребенка спрячьте яркий шарик под один из колпачков. Затем вытащите ее, снова покажите малышу и спрячьте под другой колпачок. Снова вытащите игрушку, снова покажите и накройте ее третьим колпачком. А теперь предложите малышу найти игрушку. Не важно, найдет ли он ее сразу (запомнил, где вы ее спрятали) или начнет переворачивать все формочки. И пусть вас не смущает, что игра очень напоминает всем известные азартные «Наперстки». Главное в этом занятии — тренировка способности ребенка помнить о своей цели и добиваться ее.

Когда игра наскучит малышу, усложните ее. Не показывайте, под какой колпачок вы спрятали игрушку. В этом случае малышу придется заняться систематическим поиском.

Игрушки-каталки

Это могут быть различные машинки, паровозики, лошадки и собачки на колесиках. И совсем не обязатель-

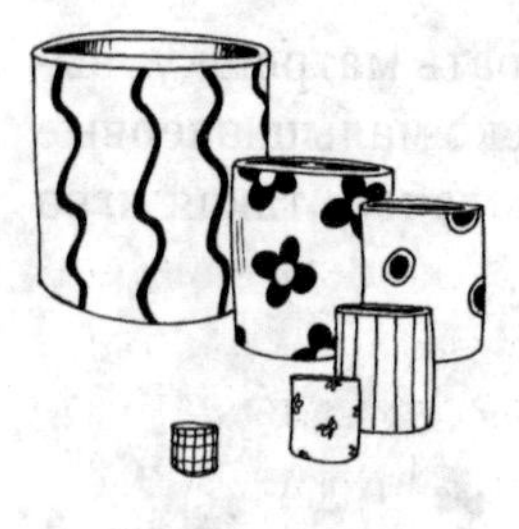

Игрушки-гнезда

но выбирать машинки только для мальчиков. Девочки в этом возрасте с не меньшим удовольствием будут манипулировать такими игрушками.

К некоторым игрушкам можно привязать веревку. Покажите малышу, как вы тянете за веревку и заставляете игрушку двигаться. Ребенок обязательно потянется за игрушкой. Такая игра немного напомнит погоню котенка за бантиком на веревке. Однако в отличие от котенка ваш малыш будет развивать координацию движений, стимулировать свою познавательную деятельность и открывать все больше новых возможностей в манипуляциях с предметами.

Заводные игрушки

Юла, игрушки, которые можно заводить с помощью поворота ключика.

Покажите малышу, как запускать юлу, заводить игрушку. Через какое-то время он начет это делать самостоятельно.

Наклейте на юлу кусочки яркой цветной пленки, которые можно менять. Малыш с удовольствием будет следить за разными рисунками во время движения игрушки.

Такие игрушки — не просто обычное развлечение. Манипуляции с ними развивают мелкую моторику у ребенка, способствуют сосредоточению внимания и развитию познавательных способностей.

Куклы и мягкие игрушки

Традиционно кукол принято дарить девочкам. Отступите от этих правил. Небольшая кукла в ассортименте игрушек мальчика пойдет ему только на пользу.

Желательно, чтобы кукла была сделана из мягкого материала и наполнена синтепоном. С помощью игрушки малыш будет учиться простым манипуляциям: качать куклу, укладывать спать и т. п. С помощью игрушки можно показывать малышу, где у куклы носик, ротик, ручки и т. д., «искать» эти части у самого малыша.

Этой же цели могут служить и мягкие игрушки в виде различных животных и птиц.

Вы познакомились с некоторыми игрушками, которые будут полезны для малышей первого года жизни. Конечно же, список можно продолжить по вашему усмотрению. Но самое главное помнить, что маленький ребенок во многом зависит от взрослых и ему просто необходимо чувствовать, что взрослые любят его и заботятся о нем. Вашему ребенку нужны любовь, сердечное тепло, защита. Нежность и ласка, выражающие вашу любовь к ребенку, жизненно необходимы для его развития. Эти знаки любви должны быть всегда естественными и никогда не навязываться ребенку.

ОТ ГОДА И СТАРШЕ

Как уже было сказано выше, в развитии ребенка выделяют периоды, когда он наиболее восприимчив к приобретению тех или иных знаний, умений и навыков, а значит, и игрушки должны соответствовать этим периодам. Таблица, приведенная ниже, поможет вам сориентироваться в выборе игрушек. Разумеется, при этом нужно учитывать индивидуальные особенности развития ребенка.

Возраст	Что развивается	Игры и игрушки
От рождения до 2–3 лет	Речь	Шершавые буквы, подвижный алфавит, фигуры-вкладыши, материалы для ощупывания и т. п.
От рождения до 3 лет	Осязание, вкус, обоняние	Вкусовые банки, теплые кувшины, коробочки с запахами, шумящие коробки, клавишная доска и т. д.
От 1,5 до 3 лет	Координация движений	Мягкие «удавы», скамеечки, шведская стенка и качели, большие мячи
От 1,5 до 4 лет	Мускулатура	Спортивный уголок, мешки, набитые ватой или тряпками, которые нужно таскать на веревочке
От 2 до 4 лет	Умение поддерживать порядок	Совки и щетки для заметания мусора, тряпка для вытирания воды, коробки для игрушек. Подобные коробки можно купить или склеить. Все игрушки должны быть рассортированы — конструктор, посуда, одежда для кукол — и стоять строго на своих местах
От 2 до 6 лет	Слух	Музыкальные инструменты, кассеты, диски с записью детских песенок. Обязательна и классическая музыка
От 2,5 до 6 лет	Социальные навыки	Игры, в которые необходимо играть вдвоем, втроем, большой компанией. Не обязательно сложные — обыкновенного футбола или строительства замка в песочнице вполне достаточно
От 3,5 до 4,5 лет	Умение писать	Рамки-вкладыши, проталкиватели, обводки, книжки-раскраски

От 4 до 4,5 лет	Тактильные ощущения	Игры с бусинками, маленькие мячики с разными наполнителями, игрушки из различных материалов, «мини-бассейны» с крупой, рамки-вкладыши, проталкиватели
От 4,5 до 5,5 лет	Чтение	Самодельные книжки с картинками и словами, кубики и карточки с буквами

Упражнения-игры по методике Монтессори

Как играть

Любая игра начинается с презентации, то есть с представления ребенку игры и материала, который для этого необходим. Вам нужно показать и назвать все предметы, которые участвуют в игре, и рассказать, что вы будете с ними делать. Например: «Это стакан, а это кувшин. В кувшине вода. Воду можно перелить из кувшина в стакан».

Одновременно вы должны показать, как это делается. Не спешите, делайте все аккуратно, ведь ребенок будет копировать ваши действия.

После презентации предоставьте ему возможность поиграть самому. И вот тут уже не вмешивайтесь, пусть он делает все сам.

Заканчивается игра уборкой. Покажите малышу, как вытереть пролитую воду, собрать и убрать на место игрушки. Имейте в виду, что малыш не должен устать к концу игры и началу уборки. Помните: порядок — это обязательный элемент в системе Монтессори, и не стоит его игнорировать.

«Нельзя» для родителей

Перед началом игры с ребенком запомните несколько простых, но очень важных правил.

- Ни в коем случае нельзя ругать малыша за то, что он что-то пролил, уронил, испачкал. Не рекомендуется даже обращать его внимание на это. Нужно только предложить ребенку все убрать и показать ему, как это делается.
- Нельзя вмешиваться в ход игры со словами: «Дай я тебе помогу, у меня получится аккуратней и быстрей». Будьте терпеливы, иначе вы сформируете ненужный и очень опасный комплекс. Помогать можно только тогда, когда малыш просит вас об этом.
- Нельзя переделывать при ребенке его работу. Очевидно, что на первых порах он не сможет качественно убрать за собой и вам придется наводить порядок еще раз. Постарайтесь, чтобы ваш малыш не видел, как вы это делаете. Ведь если он поймет, что сделал все плохо, то больше не захочет играть.
- Нельзя неуважительно относиться к ребенку, его действиям, высказываниям, желаниям. Вашему ребенку необходимо, чтобы к нему относились с уважением. Ему важно, чтобы его выслушивали взрослые, ему необходимо видеть, что его собственные чувства и мысли не безразличны близким. Он должен чувствовать себя полноправным членом своей семьи. Это совсем не означает, что он должен «добиваться своего» — у ребенка нет стремления тиранить, а есть только желание участвовать в жизни семьи.
- Нельзя перегружать малыша работой. Вы должны предлагать занятие в таком объеме, чтобы оно не утомило и не наскучило. Иначе работа будет брошена на полпути, а этого допускать нельзя.

Все игры, предложенные далее, рассчитаны на малышей, начиная от полутора-двух лет.

Итак, начнем!

ПРИЩЕПКИ В ВЕДЕРКЕ

Возраст: 1,5–5 лет.

Вам потребуется: пластиковое детское ведерко с бельевыми прищепками. Края ведерка не должны быть слишком толстыми. Ведро можно заменить вырезанными из картона фигурками.

Как играть. Предложите малышу вынуть прищепки из ведерка одну за другой, взяв каждую тремя пальцами, и прицепить их за край ведра.

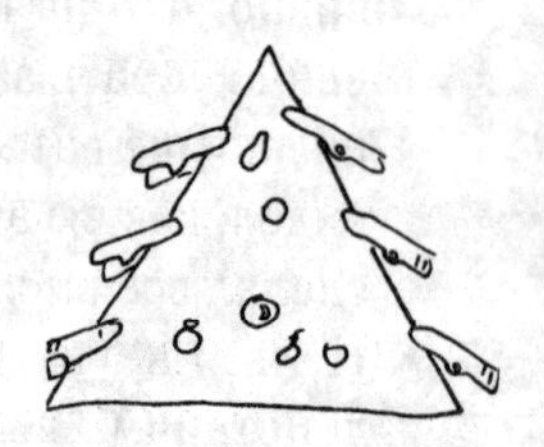

С прищепками можно придумать много различных игр и игрушек.

Вместо ведерка вы можете вырезать из плотной бумаги или картона различные фигуры (например ежика, елки и т. д.). Можно закреплять прищепки, «наряжая» елку, приделывая ежику «иголки».

> Ни в коем случае не пытайтесь переучить левшу!

Если малыш научился ловко обращаться с прищепками, предложите ему самостоятельно смастерить из прищепок цветик-семицветик, человечка, зайца и т. п.

Ребенок может помогать вам развешивать носовые платочки или кукольную одежду после стирки и закреплять их прищепками. Это задание не из легких!

Упражнение-игра помогает развить мелкую моторику руки, подготовить руку к письму.

Прежде чем ребенок начинает писать, его мелкая моторика должна быть развита настолько, чтобы маленькие пальчики легко и твердо удерживали карандаш или ручку. Многократное повторение движения силового сжимания и разжимания бельевой прищепки даст отличную тренировку кончикам пальцев правой или левой руки. Наблюдая, какой рукой ребенок предпочитает действовать, можно определить, левша он или правша. Приветствуйте желание ребенка действовать обеими руками.

РЕЖЕМ НОЖНИЦАМИ

Возраст: 2–5 лет.

Вам потребуется: ножницы (лучше выбрать с тупыми концами); несколько листов толстой цветной бумаги. На некоторых листах должны быть обозначены линии отреза.

Как играть. Покажите малышу, как правильно надо держать ножницы. В игре можно использовать любимые игрушки ребенка. Например, пусть он отрежет для каждой игрушки кусочек бумаги.

Когда ребенок освоит первые навыки использования ножниц, предложите ему нарезать лист по обозначенным линиям, а затем вырезать узоры.

Вырезание готовит руку к письму

Упражнение-игра помогает развить координацию движений руки, натренировать мышцы кисти руки, научить концентрировать внимание, подготовить руку к письму: приобретая сложный навык уверенно держать ножницы и резать точно по обозначенным линиям, малыш тем самым готовится к тому, чтобы так же уверенно его рука держала карандаш и вела по бумаге точные линии.

РАЗНОЦВЕТНЫЕ КАПЛИ

Возраст: с 2-х лет.

Вам потребуется: форма для льда на 12 ячеек; три разноцветных маркера (выбирайте те, которыми можно писать на пластике); три пузырька с разноцветной водой. Воду можно подкрасить пищевыми красителями желтого, красного и синего цвета. Если вы уверены, что малыш не будет воду «пробовать на зубок», можно использовать акварель. В каждом пузырьке — пипетка с колпачком из толстой резины. (Они продаются в аптеках). Маленькая губка. Поднос или кусок клеенки, чтобы закрыть место работы на столе или полу.

Как играть. Закрасьте маркерами донышки ячеек по принципу 1 ряд — 1 цвет. Пусть один ряд ячеек будет, например, зеленый, другой — синий, а третий — красный.

Малыш с помощью пипеток по капле переносит воду из разных пузырьков в ячейки. Ячейки постепенно наполняются водой в соответствии с их цветом.

Затем воду таким же способом надо перелить в пузырьки.

Если случилась неудача и вода оказалась на столе, подскажите малышу и как использовать губку для вытирания луж. Заодно ребенок узнает о впитывающих свойствах этого материала.

Это довольно сложное упражнение, особенно для 2–3-летних детей. Оно требует концентрации внимания, усидчивости. Далеко не каждый ребенок способен выполнить за один раз первую и вторую его части. В таком случае не настаивайте: в следующий раз все обязательно получится!

Перенести аккуратно воду с помощью пипетки — не легко

Воду в формочках можно заморозить и рассмотреть ледяные кубики, а заодно и рассказать про одно из трех состояний воды — лед. Если вы использовали пищевые красители и у ребенка нет пищевой аллергии, в конце занятия кубики льда можно добавлять в стакан с соком или водой, наблюдая обратный процесс превращения льда в воду.

Упражнение-игра помогает развить мелкую моторику рук, координацию, улучшить движения пальцев рук, научиться концентрировать внимание, подготовить руку к письму, а также научиться различать цвета и сравнивать их.

БАССЕЙН ДЛЯ ПАЛЬЧИКОВ

Возраст: с 2-х лет.

Вам потребуется: 5-литровая пластиковая бутыль из-под воды; маленькие игрушки (например из «Киндер-сюрпризов»); кубики; маленькие мячики.

Срежьте верхнюю половину бутыли. Вам потребуется только нижняя часть. Чтобы обезопасить руки ребенка от порезов, обклейте края среза скотчем или изолентой. Наполните бутыль любой крупой или фасолью, горохом.

Как играть. Спрячьте игрушку в «бассейн» так, чтобы ребенок не видел, что вы спрятали. Предложите малышу отыскать сюрприз.

Когда ребенок освоится с заданием, увеличьте количество

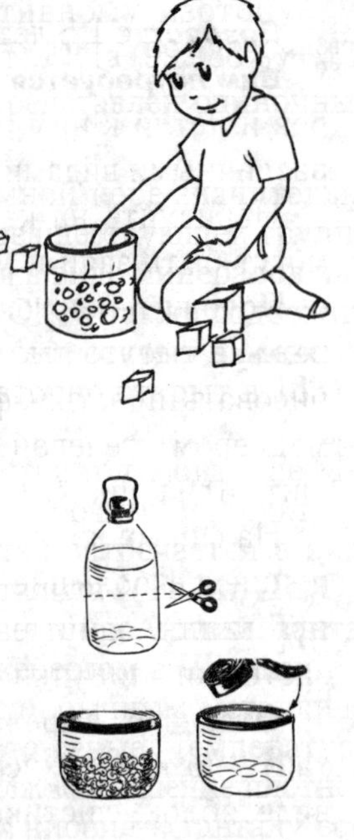

Пальчиковый бассейн

Внимание!
Детей младше трех лет нельзя оставлять одних с сыпучими материалами! Слишком велик соблазн попробовать их «на зубок».

предметов. Ребенку старше трех лет можно предложить на ощупь понять, какой предмет спрятан в бассейне.

Играть лучше всего на полу, предварительно расстелив клеенку или простыню. «Купая» свои ручки в таком «бассейне», малыш, скорее всего, будет разбрасывать крупу.

Упражнение-игра способствует развитию мелкой моторики, получению тактильных ощущений, выполнению массажа пальчиков.

ПУГОВКА ЗА ПУГОВКОЙ

Возраст: с 1,5 лет.

Вам потребуется: ремешки, пуговицы разных размеров и петли к ним, шнурки, кнопки, крючки; одежда с различными видами застежек.

Нарисуйте на картоне контуры парных фигур. Это могут быть заяц и морковка, еж и грибок, яблоко и т. п. Положите картон на плотную ткань, обведите и вырежьте фигуры из ткани. Глаза, рот и нос можно нарисовать простым фломастером, маркером, гелевой ручкой, вышить или приклеить.

На фигуру ежика или зайчика пришейте большие и маленькие пуговицы, одну часть кнопки, застежки-«липучки».

«Ежик» с застежками-пуговицами

Отдельно вырежьте и обметайте по краям кусочки ткани в виде яблок, листиков, грибочков, морковки. В одних деталях сделайте прорезную петлю, соответствующую размерам пуговиц на первой фигуре. Обметайте ее суровой ниткой. В других — пришейте вторую часть кнопки, «липучки».

Можно сделать игрушки с бантиками, крючками и петлями, ремешками. Фантазируйте!

Как играть. С такими игрушками можно придумать много игр. Самые простые — «Покорми зайчика морковкой», «Помоги ежику принести домой грибок» и т. п.

Не забывайте о презентации игрушки! Сначала вы сами должны показать, как пользоваться вашим творением. Пристегните морковку, прикрепите грибок, завяжите бантиком. Каждое действие проделывайте медленно и старательно, чтобы ребенок мог все внимательно рассмотреть.

Упражнение-игра способствует развитию мелкой моторики, тренировке умения манипулировать с различными видами застежек.

РАЗМЕШАЙ ЛОЖКОЙ

Возраст: с 1,5 лет.

Вам потребуется: прозрачный сосуд (стакан, широкая банка); столовая или чайная ложка; пищевые красители; соль; сахар (можно использовать как сахарный песок, так и кусочки); растворимый кофе.

Как играть. Дети любят размешивать ложкой что-либо в стакане. Вспомните, с каким удовольствием они размешивают, например, сахар в чае. Однако это не всегда получается: движения у ребенка еще резкие, ложка бьется о чашку, жидкость выплескивается. Ваша задача — научить ребенка действовать правильно.

Вначале помогите малышу, двигая его рукой. Чтобы ребенку было интереснее, размешивайте в воде вещества, которые окрашивают ее. Проследите, чтобы ребенок правильно держал ложку.

Чтобы ребенок хорошо освоил эти действия, игру можно совмещать с пересыпанием. Предложите малышу наполнить сахарницу с помощью чайной ложки или насыпать крупу в чашку. Задание не их легких!

Упражнение-игра способствует развитию мелкой моторики, аккуратности, обучает бытовым навыкам, знакомит с окружающим миром.

ОТКРЫТО-ЗАКРЫТО

Возраст: с 1,5 лет.

Вам потребуется: несколько разных по размеру и форме баночек, бутылочек с закрытыми крышками.

Как играть. Предложите малышу открыть, а затем снова закрыть все емкости.

Игру можно усложнить. Перемешайте все крышки и предложите ребенку подобрать к каждой посуде свою.

Годовалому малышу надо подумать, чтобы найти нужную крышку

Упражнение-игра способствует развитию внимания, логики, моторики.

СЛУШАЕМ ТИШИНУ

Возраст: с 2 лет.

Вам потребуется: немного затемненная комната, в которой, кроме вас и ребенка, никого нет.

Как играть. это одно из базовых упражнений, придуманных Марией Монтессори. Уроки тишины ежедневно проходили в ее школе.

Предложите ребенку внимательно посмотреть вокруг, прислушаться к тишине. После того как ребенок сам нарушит тишину, спросите у него, что он слышал, заметил. Поощряйте его наблюдательность. Можно устроить соревнование: кто больше услышит и заметит.

Игра «слушаем тишину» развивает внимание, терпение, наблюдательность

Если ребенку трудно сконцентрировать свое внимание, подскажите ему, как это сделать. Вы можете сказать: «Послушай, как говорят часы, дождь, посмотри, какие тени отбрасывают предметы и т. п.»

Внимание! Эти упражнения полезны только тогда, когда дети выполняют его абсолютно добровольно и ровно столько, сколько хотят сами. В противном случае такое занятие будет восприниматься как наказание или нежелание взрослых обратить внимание на детей.

Такие занятия учат ребенка владеть собой, развивают наблюдательность, слух, терпение.

ВОЛШЕБНЫЙ МЕШОЧЕК

Возраст: с 3 лет.

Вам потребуется: мешочек с 8–10 знакомыми ребенку предметами (например, расческа, свисток, шнурок, шахматная фигурка и т. п.).

Как играть. Завяжите малышу глаза или попросите закрыть их. Пусть ребенок вытащит из мешочка один предмет и попробует определить его на ощупь.

Игра «Волшебный мешочек» развивает тактильные ощущения, осязание

После того, как ребенок определил все вещи, находящиеся в мешочке, можно заменить их на другие, постепенно повышая уровень сложности в зависимости от возраста малыша.

В игру можно включить предметы, названия которых начинается на одну букву (например, если ребенок выучил букву «л», можно положить в мешочек ложку, лист, ластик и т. п.).

Упражнение-игра знакомит ребенка с предметами различной формы, развивает тактильные ощущения, осязание.

ПОЧТИ ПЭЧВОРК

Возраст: с 3 лет.

Вам потребуется: коробочка с лоскутками различных тканей (шелк, хлопок, шерсть, мохер). У каждого кусочка должна быть пара. Не обязательно все лоскутки делать в виде квадратов. Они могут быть различны по форме.

Подбирайте как можно больше разных видов тканей.

Как играть. Покажите малышу три пары кусочков ткани, наиболее контрастных по текстуре (например, шелк, мех, джинсовая ткань), затем перемешайте их и попросите ребенка найти пару, к каждому из трех кусочков. Чтобы выполнить это упражнение, предложите малышу пощупать каждый кусочек ткани. Когда ребенок поймет смысл упражнения, добавляйте другие кусочки ткани. Позже можно играть с завязанными глазами.

Если эта игра малышу понравилась, со временем вы можете предложить ему подбирать и сочетать друг с другом различные кусочки тканей, комбинируя их по

Подбирать парные лоскутки можно и с завязанными глазами

фактуре, цвету. Кто знает, может, в вашем малыше откроется талант дизайнера или модельера?

Игра развивает и утончает тактильные ощущения.

РАЗЛОЖИМ ПО ЦВЕТУ

Возраст: с 1,5 лет

Вам потребуется: бусины двух цветов; 2 мисочки или коробочки для них.

Как играть. Высыпьте в мисочку бусинки двух цветов (примерно по 5–7 бусинок каждого цвета) и справа от мисочки поставьте другую пустую посуду.

Скажите малышу: «Давай в одну мисочку сложим все белые бусинки, а в другой — оставим все зеленые». Чтобы оживить игру, вы можете придумать, например, что это угощенье для мишки и куклы. Но мишка любит белые ягоды, а кукла — только крыжовник. Перекладывать бусинки надо по одной, беря их тремя пальцами. Вначале обязательно покажите ребенку, как правильно это сделать. Если какие-то бусинки упадут на стол, попросите подобрать их с помощью совочка. Постарайтесь довести работу до конца. Не берите много бусинок, иначе игра быстро надоест ребенку.

Можете предложить малышу для перекладывания бусинок пинцет.

Игра способствует развитию мелкой моторики, внимательности, аккуратности.

ЗОЛУШКА

Возраст: с 2 лет

Вам потребуется: 2 мисочки; фасоль; крупа; сито.

Как играть. Если малыш уже знает сказку про Золушку, вы можете попробовать выполнить с ним ее работу.

Первый вариант

Скажите: «В этой чашке перемешаны рис и манка (покажите отдельно крупицы риса и манки). Как выбрать отсюда все рисовые зернышки? Это трудно сделать даже твоими маленькими и ловкими пальцами. Но тебе поможет сито!»

Когда крупы перемешаны, смесь кажется однородной, поэтому результат просеивания кажется ребенку фокусом. Объяснить, в чем секрет, можно, насыпав в сито сначала чистую манку, а потом рис. Просеянный рис надо пересыпать в приготовленную тарелку. Обязательно порадуйтесь вместе с малышом достигнутому результату, похвалите маленькую Золушку.

Второй вариант

Насыпьте немного крупы в миску и перемешайте с фасолью. Ребенок должен вытащить фасоль пальчиками.

ЧТО НАРИСОВАНО

Возраст: с 1 до 2 лет

Вам потребуется: картинки с изображением игрушек, предметов и соответствующие этим картинкам реальные предметы, например, рисунок мячика и сам мячик.

«Оказывается, предмет может быть нарисован!»

Как играть. Вы даете ребенку картинки, а рядом расставляете реальные игрушки и предметы, изображенные на карточках. Ребенок смотрит на карточку и находит по ней предмет, кладет карточку рядом.

Игра помогает малышу сделать открытие, что у предмета может быть плоскостное изображение. Это переход от конкретного к более абстрактному.

ВЫШИВАНИЕ НА КАРТОНЕ

Возраст: с 4 лет

Вам потребуется: иголка с крупным ушком, толстая шерстяная нитка (желательно цветная), листы картона с нарисованными на них линиями, картинки, клей, шило.

Проведите на картоне линии. На линиях отметьте точками места, где пойдет иголка с ниткой. Рисунки могут быть простыми и сложными.

Вышивание на картоне

Игру можно разнообразить. Вырежьте и наклейте на картон интересные картинки из журналов (машины, фрукты, животных и т. п.). Проделайте шилом дырочки вдоль границ картинки с интервалом 1–1,5 см.

Как играть. Ребенок выбирает картонку с узором, берет иглу и вставляет нитку в ушко иголки. На первых порах вам придется помочь малышу. Концы нити можно соединить и завязать в узелок. Затем ребенок делает стежки на картонном рисунке по точками, нанесенным на линию.

Работа с иглой, особенно вдевание нитки и завязывание узелка, очень сложна для маленького ребенка. Поэтому вначале лучше не просто показывать, а терпеливо проделывать эти операции вместе с ним, рука в руке. Попытайтесь уловить момент, когда можно отпустить руку ребенка и предложить ему действовать самостоятельно. Малыш тренирует координацию тонких движений пальцев, точность глазомера и последовательность действий. Полученные навыки проявятся позже, когда ребенок

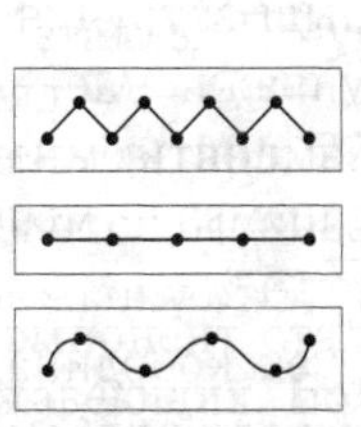
Схема для вышивания на картоне

возьмет в руки карандаш и будет пытаться писать.

Сейчас в продаже есть много игр-шнуровок из дерева и мягкого пластикового материала. Они яркие и более безопасные. Для детей младше трех лет ими можно заменить картон. Для ребят постарше есть готовые шнуровки из картона.

Игры-шнуровки

Упражнение-игра помогает развить мелкую моторику, координацию, улучшить движения пальцев рук, научить концентрировать внимание, подготовить руку к письму.

ПЕРЕКЛАДЫВАНИЕ БУС ПИНЦЕТОМ

Возраст: с 3-х лет

Вам потребуется: форма для льда; пинцет; чашка с бусинами (бусины средних или крупных размеров). Бусин должно быть ровно столько, сколько ячеек в форме.

Как играть. Малыш берет правой рукой (или левой, если он левша) пинцет и, аккуратно захватывая концами бусины из чашки, переносит их в ячейки формы. Когда форма окажется заполненной, бусины с помощью пинцета перекладываются обратно в чашку.

Упражнение сложное, особенно для 2–3-летних детей. Если малыш затрудняется выполнить это упражнение, можно для начала заменить бусины на кусочки нарезанного поролона.

Это упражнение хорошо тренирует координацию пальцев руки, которой ребенок потом будет писать мелкие буквы. Оно требует

Перекладывание бус пинцетом требует хорошей координации

предельной концентрации внимания при работе и тренирует внутренний контроль. Если ребенок допустил неловкие движения пинцетом и бусина упала на поднос, он всегда может самостоятельно исправить свою ошибку. Работа требует большой точности в движениях.

Упражнение-игра помогает развить мелкую моторику, координацию, улучшить движения пальцев рук, подготовить руку к письму.

ПИСЬМО НА КРУПЕ

Возраст: 2–5 лет

Вам потребуется: набор табличек с шершавыми буквами; плоский поднос с насыпанной на него крупой; тонкая палочка или деревянная спица.

На крупе можно писать и рисовать

Как играть.

1. Вначале малыш обводит двумя пальцами шершавую букву на дощечке. Затем он делает этими пальцами то же движение, только на подносе с крупой. Это упражнение можно повторить еще и еще раз, встряхивая поднос после каждого написания.

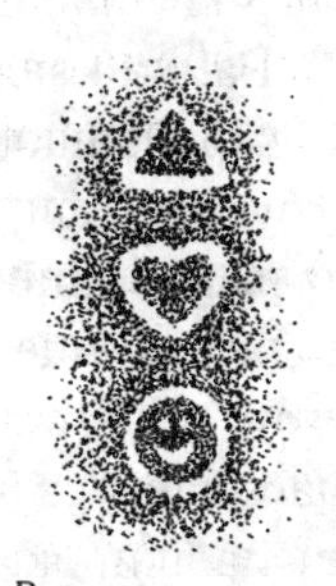

Рисунки на крупе

2. То же самое упражнение можно проделать с помощью палочки. Ребенок сначала обводит ею шершавую букву, а потом выводит очертание буквы по манке.

3. Ребенок рисует на крупе то, что ему хочется.

Упражнение обычно нравится детям, они и без специального материала с удовольствием пишут буквы пальцем в песочнице, прутиком на земле, тренируя координацию движений и развивая мелкую моторику. Будьте гибки: если ребенку скучно рисовать буквы, пусть рисует то, что считает нужным. В любом случае польза очевидна.

Упражнение-игра помогает: развить мелкую моторику, подготовить руку к письму.

РАМКИ-ВКЛАДЫШИ

Возраст: 1,5–5 лет

Вам потребуется: рамки-вкладыши (их можно приобрести в магазинах). Они отличаются по исполнению — на общей доске или отдельно каждая рамка, а также по сложности, по темам. Если у вас есть возможность, приобретите несколько различных игр.

Как играть.

1. Если малышу не более двух лет, предложите ему вначале рассмотреть игру. Не выкладывайте на стол все рамки (если ваша игра состоит из разрозненных рамок). Можно обыграть презентацию игры, предложив «закрыть окошечки» или показать каждой фигурке ее домик.

2. Рамка кладется на лист бумаги и обводится цветным карандашом изнутри. Затем с уже нарисованной на бумаге фигурой совмещается соответствующий вкладыш (например, квадрат) и обводится еще раз карандашом другого цвета. Появившаяся на бумаге фигура заштриховывается сначала широкими большими линиями, потом все более узкими. Штриховка делается всегда слева направо. Маленькие частые штрихи способствуют развитию навыка беспрерывного письма.

Рамки-вкладыши «Геометрические фигуры»

Это классический Монтессори-материал для подготовки руки ребенка к письму. Штриховка как действие, выполняемое пишущей рукой, — лучшая тренировка для пальчиков и кисти. Малыш начинает чувствовать границу рисунка, учится работать карандашом, не отрывая его от бумаги. Можно заметить, что, выполняя это задание, ребенок однажды обозначит среди штрихов какую-нибудь букву. Это произойдет спонтанно.

Упражнение-игра помогает: развить мелкую моторику, тренировать руку в обведении плоских фигур, штриховке, соблюдении границ и размеров при работе с карандашом.

РЫБОЛОВ

Возраст: 1,5–5 лет

Вам потребуется: миска с водой; мелкие предметы; маленькое сито с ручкой.

Как играть. Налейте в миску воды и бросьте туда несколько мелких предметов: кусочки пробки, веточки и т. п. Предложите малышу с помощью маленького сита с ручкой выловить все эти предметы.

Выловить из воды мелкие предметы не всегда легко

Игра развивает мелкую моторику, координацию движений, усидчивость и аккуратность.

НАСЫПАТЬ И НАЛИТЬ

Возраст: 1,5–5 лет

Вам потребуется: крупа; кувшин; стакан.

Как играть. Насыпьте в кувшин немного любой крупы и покажите малышу, как пересыпать крупу в стакан.

Если малыш просыпал зерна, их можно смести щеткой в совок.

Когда пересыпание будет освоено, можно предложить ребенку переливать воду из кувшина в стакан. Оставшиеся лужицы предложите убрать с помощью губки.

Игра развивает аккуратность, усидчивость, мелкую моторику, координацию движений.

ЮНЫЙ СКУЛЬПТОР

Возраст: 1,5–5 лет

Вам потребуется: пластилин; клеенка или доска для лепки; ножик для пластилина.

Как играть. Дайте малышу небольшой размятый кусочек пластилина. Предложите приготовить, например, обед для кукол.

Покажите, как делать «колобки» (скатывать шарики), «колбаски» и «блинчики».

Попробуйте из этих «заготовок» сделать фигуры людей и животных. Но не поддавайтесь искушению лепить вместо ребенка — лепите вместе с малышом!

Работа с пластилином развивает мелкую моторику, аккуратность, усидчивость, фантазию.

ВОЛШЕБНАЯ ГУБКА

Возраст: 1,5–5 лет

Вам потребуется: крупы, вода, поднос, губка, щетка и совочек.

Как играть. Рассыпьте немного крупы на подносе и покажите малышу, как аккуратно можно смести ее щеточкой в совочек. Затем налейте на поднос воду и продемонстрируйте, как работает «волшебная губка» — собирает пролитую воду, и поднос опять становится сухим и чистым.

В играх такого типа у ребенка вырабатывается навык и привычка убирать за собой, развивается координация движений, аккуратность.

ПЕРЕСЫПАЕМ ЛОЖКОЙ

Возраст: 1,5–5 лет

Вам потребуется: крупа; 2 миски с крупой; ложка.

Как играть. Поставьте на поднос две чашки: слева — чашку с крупой, а справа — пустую. Обе чашки должны быть сухими.

Пересыпание крупы ложкой

Вначале, двигая рукой ребенка, покажите, как набрать неполную ложку крупы, дождаться, чтобы крупа перестала сыпаться с ложки. Затем плавно перенести ложку к другой чашке и высыпать крупу.

Помогите малышу набрать крупу, когда ее останется мало (подскажите, что надо наклонить чашку свободной рукой).

Усложните это упражнение. Например, ребенок может сам насыпать сахар в чай и размешать его.

Упражнение-игра способствует развитию координации движений, мелкой моторики, усидчивости, аккуратности.

ЕСТЬ ЛУЖА – НЕТ ЛУЖИ

Возраст: 1,5–5 лет

Вам потребуется: вода; поднос; губка; 2 тарелки.

Как играть. Сначала научите малыша переносить губкой воду из одной тарелки в другую. Для этого поставьте на поднос две тарелки: слева с небольшим количеством воды, справа — пустую. Покажите, как пользоваться губкой, набирая ею воду в одной тарелке и отжимая над другой. Обратите внимание на то, что вода не должна капать с губки на поднос. Затем пролейте немного воды на поднос и покажите, как вытереть лужу с помощью губки.

В играх такого типа у ребенка вырабатывается навык и привычка убирать за собой, аккуратность, развивается координация движений.

МАЛЕНЬКИЙ ПОМОЩНИК

Возраст: 2,5–6 лет

Вам потребуется: средство для мытья посуды (лучше взять детское мыло, оно не нанесет вред нежной коже малыша); губка; посуда (небольшая кастрюля, чайник или ложка).

Как играть. Дети очень любят помогать взрослым. Попросите своего малыша помочь убрать посуду после обеда. Этот процесс сложный и ответственный, и тем более интересный маленькому человечку.

Медленно покажите малышу, как надо мыть тарелку или чашку, чтобы он увидел ход действий, четко осознал отдельные действия. Ребенку предложите повторить упражнение с другим предметом.

Через некоторое время можно отойти от ребенка, но непрерывно поддерживать с ним связь. Комментируйте его действия, подбадривайте, радуйтесь, какой у вас замечательный помощник.

Когда игра-занятие закончено, следует показать ребенку, как все убрать. Только после уборки упражнение считается законченным.

Мыть посуду — это интересно!

Игра развивает внимательность, обучает бытовым навыкам.

СНИМИ ПРИЩЕПКИ

Возраст: 1–6 лет

Вам потребуется: бельевые прищепки.

Как играть. Прикрепите на одежду малыша несколько бельевых прищепок. Ребенку придется из разных положений ухватить каждую прищепку, чтобы снять ее.

Игра развивает координацию движений, способствует гибкости тела.

ПОСЫПАЕМ ДОРОЖКИ

Возраст: 2,5–6 лет

Вам потребуется: крупа; спички или тонкие полоски бумаги.

Как играть. Предложите ребенку посыпать «песком» (манкой, пшеном, гречей) дорожку на столе шириной 3–5 см. Ограничьте ее чем-либо, например, полосками бумаги или спичками.

Ваша «дорожка» может идти от одного выложенного из спичек домика к другому. Песок надо сыпать тремя пальцами (сложив их «щепоткой»), не выходя за края дорожки.

Такая игра удобна во дворе, в песочнице. Всевозможные куличики-«торты» можно посыпать «сахаром», «солить» кашу из песка, делать дорожку между двумя палочками и т. д.

Чтобы «посыпать дорожки», надо сложить пальцы «щепоткой»

Игра развивает мелкую моторику, а также готовит руку к письму.

СМЕТИ, НО НЕ ПРОСЫПЬ

Возраст: 2,5–6 лет

Вам потребуется: щетка или тряпочка; специальный совок (но не тот, который используется при подметании пола).

Как играть. Покажите ребенку, как держать щетку (тряпочку) правой рукой (или левой, если ребенок левши), как сметать ею со стола, как подставлять совок, чтобы мусор не падал на пол.

Малышу поможет освоить игру яркий или темный кант по краю совка. Его можно нарисовать обычным маркером. Покажите ребенку, что совок надо подводить под крышку стола так, чтобы канта не было видно — тогда на пол ничего не просыплется.

Освоив этот навык, малыш может каждый день помогать вам убирать со стола. Он будет рад тому, что у него, как у взрослого, есть своя обязанность.

Игра развивает ловкость, аккуратность, обучает бытовым навыкам.

ЧИСТИМ БОТИНКИ

Возраст: 2,5–6 лет

Вам потребуется: щетка для сметания грязи; тряпочка для обуви; два ботинка.

Как играть. Все вещи надо сложить в корзинку и поставить ее в коридоре недалеко от входной двери.

Вместе с ребенком приготовьтесь к чистке. Покажите ребенку, как правильно смести грязь с обуви, а затем протереть ее тряпочкой. Сейчас в

Научите ребенка ухаживать за своей обувью

продаже есть различные губки с блеском для чистки обуви. Можете показать ребенку, как пользоваться такой губкой.

Упражнение-игра считается законченным, когда все предметы, участвующие в игре, убраны, а руки вымыты.

Игра развивает внимательность, обучает бытовым навыкам.

СОРТИРОВКА ПРЕДМЕТОВ

Возраст: 2–6 лет

Вам потребуется: толстые нитки трех цветов; любые предметы разных цветов, размеров и форм (пуговицы, ракушки, спичечные коробки, ластики, карандаши, шарики).

Как играть. Свяжите концы каждой нитки так, чтобы получились круги (диаметром около 50 см). Положите два круга на пол и попросите малыша рассортировать предметы: большие предметы — маленькие предметы; синие — красные; круглые — квадратные и т. д.

Задание можно усложнять в зависимости от возраста ребенка

Усложняйте задание в зависимости от возраста ребенка.

Если малыш в результате игры найдет третье свойство, объединяющее предметы из разных кругов (например, большой и синий предмет / маленький и синий предмет), положите третий круг между первым и вторым, так чтобы он частично перекрывал их. В тот сектор, где круги пересекаются, вы будете складывать предметы, имеющие оба замеченных ребенком свойства.

Игра развивает логическое мышление ребенка.

ПРОЙДИ ПО ЛИНИИ

Возраст: 2–6 лет

Вам потребуется: линия, наклеенная или нарисованная на полу, или веревка, разложенная в форме эллипса, ломаной или волнистой линии (длина должна быть не менее 4 метров); предметы, которые можно переносить (наполненный подкрашенной водой стакан, колокольчик, свеча, книга).

Как играть. Детям очень нравится ходить, балансируя, по бревну или бордюру. В этой игре нужно не просто пройти по бревну (вашему эллипсу), но и донести в целости и сохранности разные предметы: стакан или бутылку, наполненную почти до краев подкрашенной водой, которую нельзя расплескать, колокольчик (чтобы он не зазвонил), зажженную свечу (чтобы не потухла). А еще можно положить на голову книгу и пройти так, чтобы она не упала — прекрасное упражнение для правильной осанки!

Игру можно усложнить: пусть малыш идет по линии так, чтобы при каждом шаге пятка одной ступни касалась носка другой.

Игра развивает координацию движений.

ШЕРШАВЫЕ БУКВЫ

Возраст: с 3 лет

Вам потребуется: шершавые буквы из песчаной или бархатной бумаги, наклеенные на таблички из толстого картона или на дощечки. Монтессори предлагает использовать письменный шрифт. Фон табличек для согласных звуков голубой, для гласных — розовый.

Как играть.

1. Дайте ребенку возможность рассмотреть игру. Затем покажите ему, как можно двумя пальцами (средним и

указательным) обвести букву, будто написать ее. Ребенок повторяет это движение. Если он уже знает буквы, то в конце обведения называет ее. Если не знает, назовите букву сами.

Карточки с шершавыми буквами

Малыш может повторить движение руки в воздухе, чтобы лучше запечатлеть очертание конкретной буквы.

2. Ребенок кладет перед собой несколько табличек с шершавыми буквами и закрывает глаза (или завязывает их платком). Он ощупывает шершавые буквы и пытается угадать, как они называются.

Это упражнение подготавливает руку ребенка к механическому письму. Тактильное чувство помогает ребенку освоить символьное изображение звуков — буквы. Перед упражнениями с шершавыми буквами необходимо обострить чувствительность кончиков пальцев. Для этого можно сполоснуть руки теплой водой и вытереть насухо или потереть кончики пальцев друг о друга. Можно воспользоваться маленькой жесткой щеточкой.

Стоит отметить, что второе упражнение дети выполняют с большим удовольствием. Через чувства малыш делает еще один шаг к работе разума, создавая образ, символ, знак кончиками пальцев.

Упражнение-игра помогает стимулировать тактильные ощущения, изучить алфавит через тактильные ощущения, подготовить руку к письму, научиться соотносить звук и его символ — букву.

ШЕРШАВЫЕ СЛОВА

Возраст: 4–6 лет

Вам потребуется: картонные таблички, на которых буквами из шершавой бумаги написаны слова; платок или шарф, чтобы завязать глаза.

Как играть. Ребенок кладет перед собой табличку с шершавым словом, завязывает или закрывает глаза и, ощупывая букву за буквой, соединяет их в слово, прочитывает его.

С помощью подобных игр обостряется и утончается чувствительность кончиков пальцев, развитие которых, как известно, способствует развитию мышления. Вместе с этим совершенствуется и умение мысленно соединять буквы в слова. Дети очень любят угадывать слова, написанные шершавыми буквами. Это упражнение готовит их к плавному, незаметному переходу к осознанному письму и чтению.

Упражнение-игра помогает: усовершенствовать тактильное восприятие письменного языка, подготовить руку к письму, развить образное восприятие букв и слов, научить концентрировать внимание.

СЛОВА В ТРЕХ КОРОБОЧКАХ

Возраст: 2,5–4 года

Вам потребуется: три одинаковые коробочки (величиной с мыльницу) разных цветов: красного, желтого, зеленого или др; маленькие фигурки животных; искусственные растения; любые предметы, которые относятся к быту человека. Все предметы можно вырезать из цветного картона. Можно использовать покупные лото и картинки.

Как играть. Положите в красную коробочку маленькие фигурки животных, в зеленую — искусственные растения, а в желтую — любые предметы, относящиеся к быту человека.

Ребенок приносит вам коробочку и вынимает из нее фигурки по одной и ставит в ряд. Вы просите малыша назвать известные ему предметы. Если какой-то предмет малышу незнаком, назовите его.

Поставьте перед ребенком два известных ему предмета и один неизвестный. Назовите вместе с малышом то, что ему известно, и попросите дать или показать вам это. Спросите его про неизвестный предмет: «Что (кто) это? На что это похоже? Как ты думаешь, что им делают?» Возможно, у ребенка будет свое представление об этой вещи. Выслушайте его, обязательно похвалите за интересное решение, а затем расскажите об этом предмете.

С карточками можно придумать много развивающих игр

Если ваш малыш знает названия предметов, лежащих в коробочках, высыпьте их на стол, перемешайте и попросите ребенка «найти свой домик каждому предмету». Ребенок берет фигурки по одной, называет их и раскладывает по коробкам: животных — в красную, растения — в зеленую все, что относится к человеку, — в желтую.

Расширение запаса слов ребенка, несомненно, может происходить и происходит вполне естественным образом, то есть через повседневную речь взрослых и других детей вокруг него. В этом смысле подобные упражнения можно назвать искусственными, оторванными от реальной жизни. Но если учесть, что в возрасте 2–4 лет ребенок переживает сенситивный период интереса к маленьким вещам, как замечала М. Монтессори и как наблюдают ее последователи, то занятия с малышом, разбирающим маленькие игрушки и при этом не знающим пока их названия, лишь помогут ориентироваться в мире слов. К тому же нельзя забывать, что вид деятельности ребенок выбирает сам и как только интерес пропадает, игру можно прекратить.

Упражнение-игра помогает: расширить запас слов, учит классифицировать предметы и слова, сопоставлять предмет с его названием, расширить кругозор.

КАРТИНКА-СЛОВО

Возраст: с 4 лет

Вам потребуется: карты с любыми картинками, таблички со словами к ним; контрольные карты, на которых слово и картинки объединены. Картинки и слова можно подобрать по темам: цветы, одежда, животные и др. Важно, чтобы слова на табличках были легкими для прочтения. Можно использовать покупные лото с картинками.

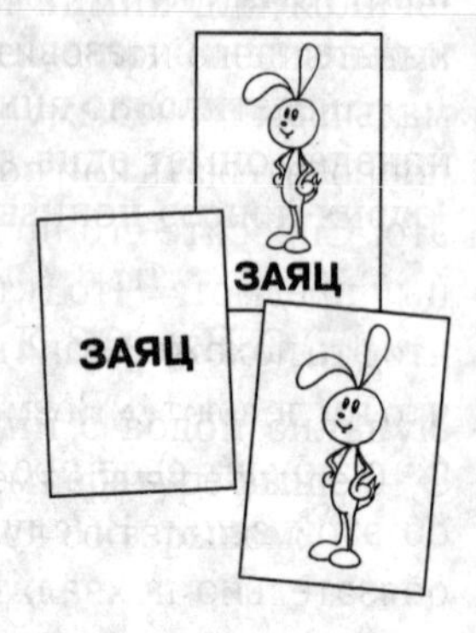

Карта Монтессори для обучения чтению

Как играть. Ребенок кладет перед собой конверт с картами. Он выкладывает на стол картинки, а затем подбирает к ним таблички со словами. Контрольные карты помогут малышу самостоятельно проверить выполненную работу.

Упражнение-игра помогает: развить интуитивное чтение, упорядочить слова языка, сравнить написанное слово и изображение предмета.

ЧТО МЕНЯ ОКРУЖАЕТ

Возраст: с 4 лет

Вам потребуется: таблички с тесемками, на которых написаны простые слова-названия предметов из окружающей среды. Например: стол, шкаф, пол, кубик, кукла и т. д. Таблички лежат в конверте или в коробке.

Как играть. Ребенок берет одну за другой таблички, прочитывает слово и вешает или кладет табличку на соответствующий предмет.

Детям очень нравится это упражнение. Часто бывает так, что вся комната завешивается табличками с названиями предметов. Это очень важный этап перехода малыша от интуитивного к осмысленному чтению. Он делает важные открытия: все, что меня окружает, можно записать и потом прочитать. Любому предмету культуры соответствует слово, которое пишется и читается.

Упражнение-игра помогает научиться сопоставлять прочитанное слово с предметом из окружающей среды.

ЧТО НАПИСАНО?

Возраст: с 4 лет

Вам потребуется: небольшие полоски бумаги с напечатанным текстом в виде заданий. Это может быть указание, где искать сюрприз, сообщение о походе в гости и т. п. Для текста заданий подберите самые простые слова.

ЗАВТРА МЫ ИДЁМ В ГОСТИ

ПОД ПОДУШКОЙ ЛЕЖИТ ПОДАРОК

МОЖНО ПОСМОТРЕТЬ МУЛЬТФИЛЬМЫ

Как играть. Ребенок берет полоски, читает задания и выполняет их одно за другим. В записках можно предлагать самые разнообразные задания.

В этом упражнении ребенок впервые читает сразу несколько стоящих в ряд слов, связанных между собой по смыслу — предложение. Он должен объединить их в своем сознании, и понимание прочитанного будет служить сигналом к выполнению действия, к проживанию прочитанного. Это классический материал Монтессори, упражнения с которым описаны во многих ее книгах, а также в работах ее последователей.

Упражнение-игра помогает обучить связному чтению, осмыслению и проживанию прочитанного.

ДОМИНО ИЗ БУКВ

Возраст: с 4 лет

Вам потребуется: карточки с написанными на них словами. Выделите красным цветом первую и последнюю буквы в каждом слове. На обратной стороне карточки приклейте соответствующую картинку.

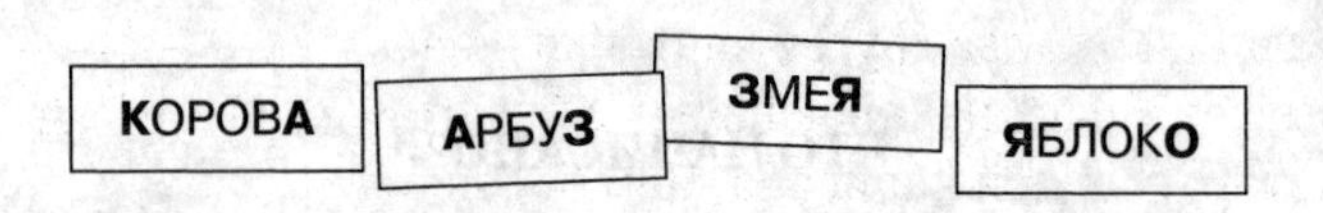

Как играть. Ребенок высыпает перед собой карточки и переворачивает их словами вверх. Покажите малышу, как складывать цепочку слов, подбирая их так, чтобы первые и последние буквы совпадали. Например: МАМА-АРБУЗ-ЗАЯЦ.

Если ребенок еще не готов к различению букв, он может играть с картинками, воспринимая их названия на слух. Для этого вам понадобятся к словам еще и соответствующие картинки. Положите перед малышом карточки вверх изображением, произнося вслух название картинки. При этом малыш старается подобрать таблички так, чтобы в цепочке совпадали первый и последний звуки слов.

Упражнение-игра обучает малыша интуитивному чтению слов. Выполняя механическую работу по подбору одинаковых букв, ребенок интуитивно запоминает написанные на табличках слова. В этом случае картинка на обороте таблички служит для него контролем. Если же малыш играет только с картинками, то он утончает слух, выделяя отдельные звуки произносимых слов. И то, и другое очень важно для развития языка.
С помощью этой игры ребенок учится распознавать буквы как символы звуков в написанных словах, готовится к обучению чтению.

ПРИДУМАЙ СЛОВО

Возраст: с 4 лет

Вам потребуется: карточки с изображением букв. Можно использовать голубой фон для букв, обозначающих согласные звуки, и розовый, обозначающие гласные звуки.

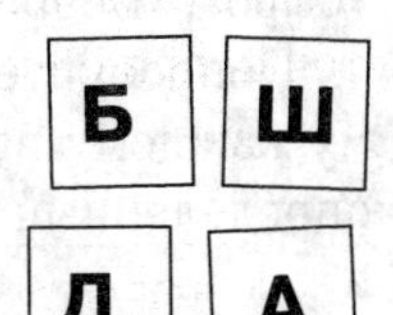

Карточки Монтессори с буквами

Как играть. Ребенок вынимает из коробки одну за другой карточки и называет слова, начинающиеся с буквы, которая на ней написана. Чем больше слов назовет ребенок на одну букву, тем лучше.

Вы можете играть на слух, то есть не используя карточки. Назовите ребенку пару звуков, к которой он должен придумать слова.

Упражнение-игра развивает: умение пользоваться своим словарным запасом, фонематический слух.

КРУГЛЫЙ ГОД

Возраст: 4–5 лет

Вам потребуется: картонный круг, разрезанный на 12 секторов. На каждом секторе напишите название одного из месяцев года. Закрасьте кончики секторов разными цветами, например: весенние месяцы — зеленым, летние — красным, осенние — желтым, зимние — белым или голубым.

Как играть. Перемешайте сектора круга. Предложите ребенку прочитать названия месяцев. Помогите ему выложить их в правильном порядке.

Поговорите с малышом, какое сейчас время года, что происходит в другие месяцы, какие праздники бывают летом, зимой и т. д.

Фантазируйте как можно больше.

Игры с карточками, обозначающими названия времен и месяцев года, могут быть самыми разнообразными. Кроме основного выполнения задания, вы можете обсудить с ребенком и тему одежды в разные времена года, и понятия «холодно», «жарко», «прохладно», «сыро», «моросит», «подмораживает» и т. п.

Попробуйте объяснить вместе с ребенком, почему каждому времени года соответствует на карточке определенный цвет (зиме — белый, осени — желтый и т. д.).

В игре малыш невольно производит действия с кругом, с его центральной точкой, от которой расходятся сектора. Таким образом, он знакомится и с рядом математических понятий.

Упражнение-игра обучает чтению слов, знакомит с понятием «времена года», способствует обогащению словарного запаса.

РАЗРЕЗНЫЕ КАРТИНКИ (ИЛИ ПАЗЛЫ)

Возраст: с 2 лет

Вам потребуется: 2 одинаковые картинки (открытки, репродукции и т. п.); фломастер; ножницы.

Как подготовить игру: чтобы сделать пазл, выберите подходящую открытку, а еще лучше дайте возможность сделать выбор ребенку. На обратной стороне открытки начертите фломастером несколько линий, разделив всю поверхность открытки на 12–14 частей разной формы.

Собирать пазлы — полезное занятие

Как играть. Попросите ребенка разрезать открытку по нарисованным линиям. Затем смешайте кусочки. Пусть ребенок восстановит картинку, а образцом ему послужит вторая открытка.

Разрезные картинки

Можно использовать для игр и готовые пазлы. Сейчас в продаже есть большое количество разрезных картинок.

Игра развивает логическое мышление и мелкую моторику.

ПОДБОР ЦИФР

Возраст: с 3 лет

Вам потребуется: можно использовать различные покупные математические лото, в которых есть картинки предметов и цифры, можно сделать пособие самостоятельно. Для этого приготовьте несколько карточек с цифрами от 1 до 10. Так же понадобятся карточки с изображением предметов в разном количестве: 1 кукла, 1 мячик, 2 куклы,2 мячика и т. д.

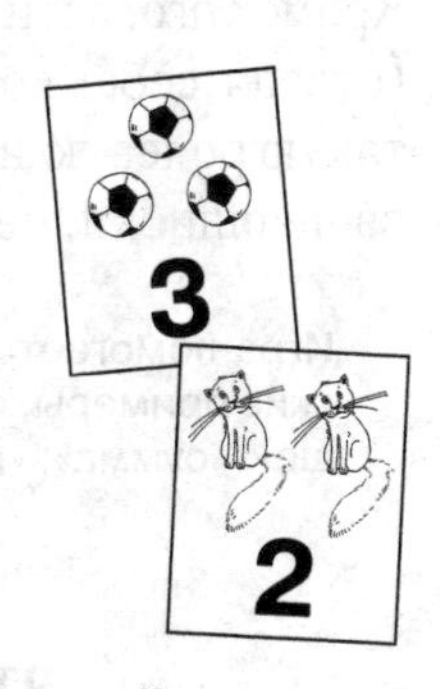

Карточки Монтессори для обучения счету

Как играть. Ребенок выкладывает перед собой карточки с картинками и подбирает соответствующую цифру.

Упражнение-игра помогает: научиться различать цифры, сортировать их, соотносить цифры с количеством предметов.

АРИФМЕТИЧЕСКИЕ ЗНАКИ

Возраст: с 4 лет

Вам потребуется: используйте покупное математическое лото или домино с цифрами, картинками и математическими знаками.

Как играть. Из содержимого коробки вы вместе с ребенком составляете примеры и выкладываете их на столе перед собой. Ребенок может составлять примеры сам, а вы будете решать их. Иногда позволяйте себе сделать ошибку. Пусть ваш маленький учитель исправит ее, объяснит, почему вы не правы.

Такие игры позволяют ребенку продумывать различные арифметические действия. К игре малыш может обращаться много раз, даже в тот период, когда некоторые из понятий ему неизвестны. Постепенно он познакомится с ними, причем иногда делая открытия самостоятельно. Кроме того, дети очень любят играть в ученика и учителя (отводя себе, конечно же, роль учителя). Используйте такую ролевую игру. Позволяйте себя учить, исправлять ваши ошибки, немного ругать и хвалить вас.

Игра помогает научиться составлять и решать арифметические примеры, познакомиться с понятиями «больше», «меньше», «сумма», «разность», «равенство».

ЧТО РАСТЕТ НА ДЕРЕВЕ?

Возраст: с 2,5 лет.

Вам потребуется: используйте покупные карточки с соответствующими картинками, лото. На одних карточках будут изображены различные деревья (ель, береза, груша, яблоня и т. д.), на других — листья этих деревьев и плоды.

Как играть. Ребенок выбирает любую карточку с деревом и подбирает к ней карточку с листом и плодом.

На основе этой игры вы можете рассказать малышу, что такое гербарий и даже вместе собрать его.

Упражнение-игра помогает научиться различать деревья, их листья и плоды, узнать, что некоторые деревья не имеют плодов. Малыш знакомится с понятием «плод», «лист», запоминает образы деревьев.

КЛАССИФИКАЦИЯ ЖИВОТНОГО МИРА

Возраст: с 4 лет.

Вам потребуется: карточки с соответствующими картинками. Можно использовать покупные лото.

Как играть. Выложите вместе с малышом картинки, называя их и обобщая. Например, вы говорите: «Здесь живут млекопитающие», — и выкладываете картинки этой категории в ряд. Таким же образом знакомите ребенка и с другими представителями фауны.

Вариантов для классификации много

Со временем вы можете «делать ошибки» в создании рядов. Дайте возможность ребенку исправить вас. Почти все дети с удовольствием играют роль «строгого учителя».

Упражнение-игра способствует знакомству ребенка с животным миром, подготавливает ребенка к упорядочиванию большого объема информации, приучая анализировать и делать логические выводы.

ЖИВОТНЫЙ МИР КОНТИНЕНТОВ

Возраст: с 4 лет

Вам потребуется: карта с изображением континентов; карточки с изображениями диких животных (например, пингвин, жираф, крокодил, лиса, слон, кенгуру, верблюд и т. д.); контрольная карта континентов с изображениями животных, на которой изображен континент и соответствующие ему животные. В качестве пособий вы можете использовать покупные лото и карты.

Как играть. Предварительно вам надо рассказать ребенку о том, что разные животные живут в разных частях света, показать континенты на карте, назвать их. Когда малыш немного познакомиться с этими понятиями, предложите ему вместе с вами «заселить» пустую карту или «помочь найти каждому животному его дом». По контрольной карте ребенок сможет проверить себя (или вас).

Когда эта игра станет хорошо знакома ребенку, вы можете немного изменить ее. Например, вы показываете картинку с изображением животного, а малыш называет континент.

Позже таким образом можно играть и без изображений, только называя животных.

Упражнение-игра помогает узнать и запомнить, какие животные населяют разные континенты, способствует расширению кругозора.

БРАСЛЕТ

Возраст: с 4,5 лет

Вам потребуется: разноцветный крупный бисер разных размеров; тонкая леска или капроновая нить.

Как играть. Когда ребенок хорошо освоил простые действия с бусинами, можно немного усложнить задачу — попробовать сплести из бисера какое-нибудь нехитрое украшение. Самое простое, конечно же, браслет или бусы. Покажите ребенку, как завязывать узелок, как вдевать леску или нить в бусину. Позвольте ребенку самому подбирать форму и цвет бисера. Поощряйте ребенка самого придумывать узоры. Возьмите листочек в клеточку и скажите, что каждая клеточка — это бусина. Попросите малыша закрасить клеточки так, чтобы получился красочный

Плетение бус

рисунок. Вам останется только подобрать бисер нужного цвета и превратить эскиз в готовое изделие.

Игра развивает мелкую моторику, творческое мышление, фантазию.

ПОПРОБУЙ, ПОПАДИ!

Возраст: с 3 лет

Вам потребуется: бутылка с широким горлышком; 8–10 горошин.

Как играть. Возьмите бутылку с широким горлышком, поставьте ее на пол. Дайте ребенку 8–10 горошин. поставьте малыша возле бутылки и попросите его выпускать из кулачка по одной горошине так, чтобы они попадали в бутылку. Проследите, чтобы рука ребенка находилась на уровне груди.

Игра помогает развить координацию, мелкую моторику, внимание, глазомер.

НЕ УРОНИТЬ ШАРИК

Возраст: с 3 лет

Вам потребуется: ложка; шарик для пинг-понга; миска с водой.

Как играть. Возьмите ложку и шарик для пинг-понга, наполните миску водой, опустите в нее шарик. Предложите ребенку вытащить шарик ложкой и в ложке донести его до условного места, не уронив его. Расстояние, которое надо пройти, не должно превышать 6–8 метров.

Чтобы выловить шарик из воды, надо правильно держать ложку и быть ловким

Игра развивает координацию движений, умение ориентироваться в пространстве, моторику рук, ловкость, умение концентрировать внимание.

ЭКВИЛИБРИСТ

Возраст: с 2 лет

Вам потребуется: книга небольшого формата.

Как играть. Возьмите книгу небольшого формата. Положите ребенку книгу на голову и попросите его пройтись, стараясь не уронить книгу.

Игра развивает координацию движений, ловкость, выносливость.

ЖИВЫЕ ЦВЕТЫ

Возраст: с 3 лет

Вам потребуется: живые цветы; маленькое ведро; совок для мусора; разные вазы и банки; ножницы; лейка, тряпка.

Как играть. Вы льете воду из лейки в выбранную вазу. Ребенок должен заметить, сколько воды вы налили. Затем он сам должен налить воду в вазу. Если вода случайно перелилась через край, нужно вытереть ее тряпкой.

Уход за цветами требует аккуратности

Научите ребенка обрезать с цветка нижние листья и кусочек стебля и после этого ставить цветок в вазу. Предоставьте ребенку возможность повторить все действия самостоятельно, используя другую вазу. Не мешайте, даже если малыш слишком коротко отрезает стебель. Пусть он убедится в этом самостоятельно. Так у него развивается глазомер.

Заканчивая упражнение-игру, вместе уберите рабочее место.

Игра развивает ловкость, аккуратность, глазомер, обучает бытовым навыкам.

ЮНЫЙ ПОВАР

Возраст: с 3 лет

Вам потребуется: 2–4 ломтика хлеба или батона; 4–5 кусочков сыра; 2–4 кружка колбасы.

Как играть. Заранее приготовьте все необходимые ингредиенты. Положите их на блюдо. Посадите ребенка за стол и поставьте перед ним это блюдо. Рассмотрите вместе продукты, из которых будут приготовлены бутерброды. Обратите внимание на то, что кусочки хлеба, колбасы и сыра разные по форме и размеру.

Если вы считаете нужным, доверьте малышу намазать хлеб маслом, предварительно показав, как это делать, на другом кусочке хлеба.

Предложите ребенку сделать бутерброды. Хорошо, если малыш сможет проговаривать свои действия.

Обязательно угостите всех членов семьи или кого-то из друзей приготовленными бутербродами, похвалите малыша за старание.

Игра развивает моторику, кругозор.

Игры с водой

Дети, как правило, очень любят играть с водой. Конечно же, их можно понять: вода льется, может быть теплой, холодной, ее интересно переливать из одного стаканчика в другой, шлепать по ней ручкой... Да мало ли что может придумать маленький исследователь!

Многие из предложенных упражнения по своей сути больше похожи на опыты. Они учат наблюдать и делать выводы. Маленьким исследователям, как правило, это доставляет немало удовольствия.

Подумайте, о чем рассказать своему ребенку в момент опыта, на что обратить его внимание, как заинтересовать его процессом. Вы лучше знаете своего малыша, его интересы, любимые игрушки, которые могут принять участие в ваших играх.

Проводить эти опыты вы можете с ребенком любого возраста старше одного года. Отличаться они будут только сложностью ваших объяснений.

КРУГИ НА ВОДЕ

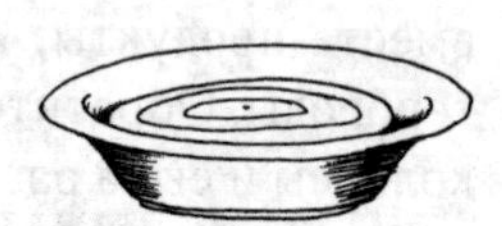

Это не простое развлечение, а настоящий физический опыт

Возраст: с 1,5 лет

Вам потребуется: большая посуда, наполненная водой.

Как играть. Налейте в посуду воду и дождитесь, чтобы вода была абсолютно спокойной. Дальше все зависит от вашей фантазии: вы можете дотронуться пальцем до середины (или пусть это сделает ребенок). По воде пойдут круги. Кстати, довольно часто в книгах встречаются картинки с изображением кругов на воде. Малышу будет проще на практике понять и узнать это явление.

Если размеры посуды позволяют, покажите ребенку небольшие волны.

ТОНЕТ — НЕ ТОНЕТ

Возраст: с 1,5 лет

Вам потребуется: прозрачная миска с водой. В другой чашке сложены различные мелкие предметы: гвоздик, камешек, бусинка, кубик, тряпочка, губка и т. д., полотенце.

Как играть. Ребенок по очереди опускает в миску с водой один за другим все предметы. Он наблюдает — тонет предмет или нет.

Перед опытом «погадайте» с малышом, что утонет, а что нет. Часто интуитивно дети дают правильные ответы.

Проверенные предметы можно откладывать в две кучки по принципу «тонет» или «не тонет». В конце игры картина будет полной. Обратите внимание маленького ученого, из каких материалов вещи утонули, а из каких нет.

Такую игру легко проводить в момент купания ребенка, можно использовать различные игрушки и предметы, например ложку, небольшое полотенце, шарик и т. п.

ПЕРЕЛИВАНИЕ ИЗ ЧАЙНИКА В ЧАШКУ

Возраст: с 2 лет

Вам потребуется: небольшой чайник (можно использовать заварочный); маленькая чашка; губка.

Как играть. Малыш переливает воду из чайника в чашку. Это простое действие для нас, взрослых, но довольно сложное для 2–3-летних детей. Как вы догадались, губка понадобится для того, чтобы исправить некоторые неудачи.

Переливание воды из чайника в чашку требует сноровки

ВОДА ПРИНИМАЕТ ФОРМУ

Возраст: с 2,5 лет

Вам потребуется: резиновая перчатка; надувной шарик; бокал; колба; целлофановый мешочек; кувшин с водой; полотенце; губка.

Как играть. Ребенок осторожно заполняет резиновую перчатку водой из кувшина. Он наблюдает, что вода приняла форму перчатки. Затем он выливает воду назад в кувшин и проделывает тот же опыт с остальными предметами. В конце игры малыш вытирает со стола лишнюю воду, а затем свои ручки.

ОПЫТ С ВОДОЙ И ЯЙЦОМ

Возраст: с 2,5 лет

Вам потребуется: два стакана с водой; два яйца; четыре ложки поваренной соли.

Как играть. Ребенок наливает один стакан доверху водой и опускает яйцо в воду. Оно тонет. В другой стакан воду наливает до половины, кладет туда четыре ложки соли и размешивает. Когда основная часть соли растворится, ребенок опускает яйцо в стакан и видит, что оно плавает на поверхности.

ПЕРЕЛИВАНИЕ ВОДЫ В ТРИ СТАКАНА

Возраст: с 3 лет

Вам потребуется: три пластиковые бутыли или стакана; кувшин (чайник); губка. На все бутыли (стаканы) нанесите отметку уровня воды (для этого можно использовать маркер для пластика или самоклеящуюся пленку).

Игра развивает глазомер и координацию

Как играть. Ребенок наливает воду из кувшина (чайника) до отметки. То же действие он производит и с другими бутылками (стаканами). Воду можно подкрасить акварельной краской. Если ребенок пролил воду, предложите ему вытереть лужу с помощью губки.

ВОДА ИЗ СНЕГА

Возраст: с 3 лет

Вам потребуется: свечка в подсвечнике; миска со снегом; ложка; чашка для воды; губка или тряпочка, которая хорошо впитывает воду.

Как играть. Монтессори разрешает ребенку самостоятельно зажечь свечу. Вам решать — доверите ли вы это действие своему малышу.

О трех состояниях воды можно узнать в игре

Ребенок набирает в ложку немного снега и держит над пламенем свечи. Когда снег растает, он сливает воду в чашку. Работа продолжается.

В процессе вы можете рассказать о трех состояниях воды (вода, лед, пар), понаблюдать, как тает снег и нагревается вода в ложке. В конце малыш гасит свечку, вытирает тряпочкой воду на столе. Обратите внимание ребенка, что вода пропитала материал.

СМЕШИВАНИЕ АКВАРЕЛИ

Возраст: с 3 лет

Вам потребуется: три небольшие баночки (например, из-под детского фруктового пюре). Разведите в каждой немного акварельной краски основных цветов — красной, синей, желтой. Одна пустая баночка; пипетка; губка.

Как играть. Ребенок берет пипетку, набирает одну из красок и капает несколько капель в пустую баночку. Затем он таким же образом добавляет туда несколько капель другой краски. Встряхивает и видит, что краска изменила свой цвет.

ПЕРЕКЛАДЫВАНИЕ ШАРИКОВ

Возраст: с 3 лет

Вам потребуется: две маленькие миски (в одной из них вода); ситечко с ручкой. В воде плавают 3–4 пластмассовых теннисных шарика. Маленькая губка.

Как играть. Ребенок перекладывает с помощью ситечка плавающие шарики в пустую миску. Обратите его внимание на то, что вода проливается в дырки ситечка и пластмассовые шарики не тонут в воде. Кроме наблюдений, ребенок тренирует мелкую моторику.

«ЗВЕНЯЩАЯ» ВОДА

Возраст: с 3 лет

Вам потребуется: несколько различных бокалов, до середины наполненных водой; палочка с шариком на конце (можно использовать игрушечную барабанную палочку).

Как играть. Ребенок ударяет по краю одного из бокалов, слушает звон. (Вначале объясните, что стучать по бокалу надо очень осторожно).

Малыш повторяет движение и слушает, как звенят бокалы с водой. Поэкспериментируйте с ребенком, отливая или доливая воду. Малыш сделает вывод, что количество воды влияет на звон.

Игрушки своими руками

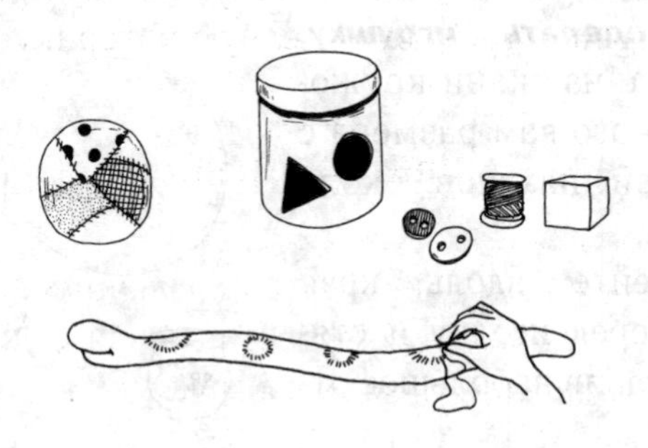

Когда-то давно в семьях многие игрушки делали своими руками. Были тряпичные куколки, сшитые бабушками, деревянные игрушки, сделанные отцами или дедушками. «Сейчас все можно купить!» — скажете вы и будете правы. Купить можно почти все. Но, к сожалению, покупные игрушки не всегда могут удовлетворить все потребности ребенка с точки зрения развития и интереса, а их постоянная покупка значительно ударит по любому бюджету.

В этой главе рассказывается, как самим сделать для малыша интересные игрушки, чтобы создать особую развивающую среду. Пусть ваша коллекция игрушек обновляется за счет полезных, интересных и развивающих самоделок. Некоторые из них требуют какого-то времени для изготовления, другие — нет.

ТРЯПИЧНЫЕ МЯЧИКИ И «КОЛБАСКИ»

Вам потребуется: кусочки тканей разных размеров, цветов и фактуры; любые материалы для наполнителя (вата, синтепон, целлофан, обрезки тканей и шерстяных ниток, пуговицы, шарики от погремушек, различные крупы (особенно удобны рис, греча, пшено), горох, фасоль, сухие травы — успокаивающие и тонизирующие, крышки от бутылок, болтики и т. п.).

Как сделать игрушку. Вырежьте из ткани кружочек нужного вам размера с прибавкой на шов около 0,5–1 см.

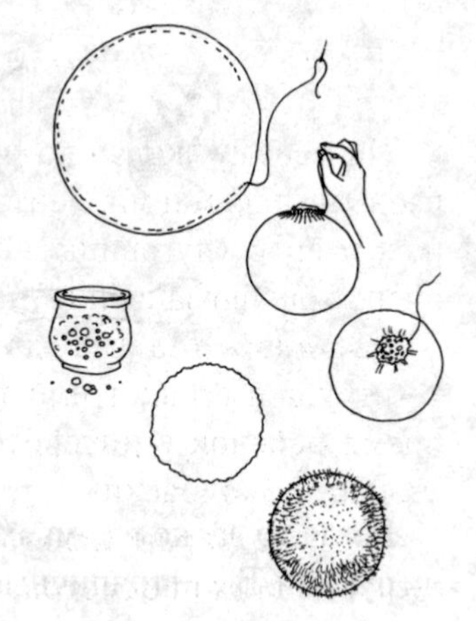

Изготовление тряпичного мячика

Прошейте вдоль края швом вперед иголку и стяните, оставив небольшое отверстие.

Через него наполните мячик (свободно, плотно или туго, по желанию и каждый мячик по-разному).

Отверстие затяните до конца и закрепите нитку.

Из такой же или любой другой ткани вырежьте кружочек поменьше первого. Пришейте второй кружок поверх отверстия мелкими стежками, без промежутков между ними. Шить желательно в две нитки, каждый стежок хорошо подтягивать, чтобы детали были крепко сшиты.

Если ткань не осыпается, можно пришивать кружок, не подворачивая ее, если осыпается — лучше подвернуть.

Можно сочетать в одном мячике два-три разных наполнителя.

«Колбаски» шьются из длинных прямоугольных лоскутков, наполняются любым материалом.

Можно начинить «колбаски» разными наполнителями и прошить в нескольких местах поперек, чтобы отделить один наполнитель от другого.

Если края «колбаски» вшить один в другой, получится тряпичное колечко.

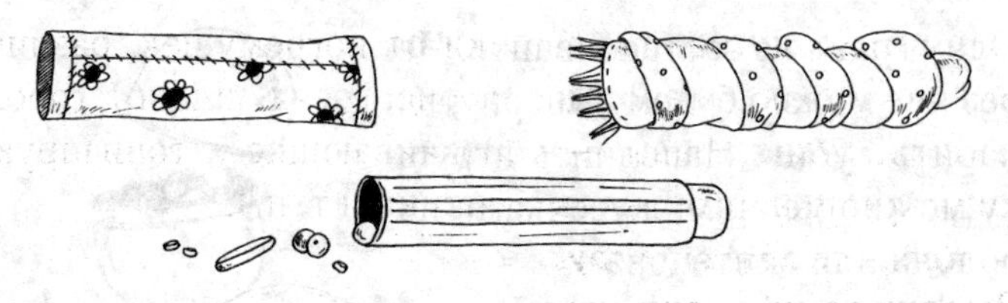

Тряпичные «колбаски»

По своему желанию вы можете украсить игрушки разными тесемками, лентами, пуговицами разных форм и размеров (пуговицы необходимо туго пришивать и очень хорошо закреплять).

Как играть. Малышу до полутора лет просто положите игрушки в пакет или тряпичную сумочку. Какое-то время ребенок с интересом будет вынимать и щупать мячики и «колбаски».

Дети постарше любят выкладывать различные фигурки из этих предметов, угадывать наполнитель, просто мять в руках и перебирать пальчиками.

Цель: развитие тактильных ощущений, массаж пальчиков, развитие слуха, мелкой моторики.

ТРЯПИЧНЫЕ КУБИКИ

Вам потребуется: 6 лоскутков различной по фактуре ткани (например, холст, лен, ткань с ворсом, кожа, атлас, ситец, трикотаж и др.); плотный картон.

Как сделать игрушку. Вырежьте из картона шаблон, по которому вырезаются квадратики. Сторона картонного квадрата должна быть на 2 см больше, чем сторона кубика.

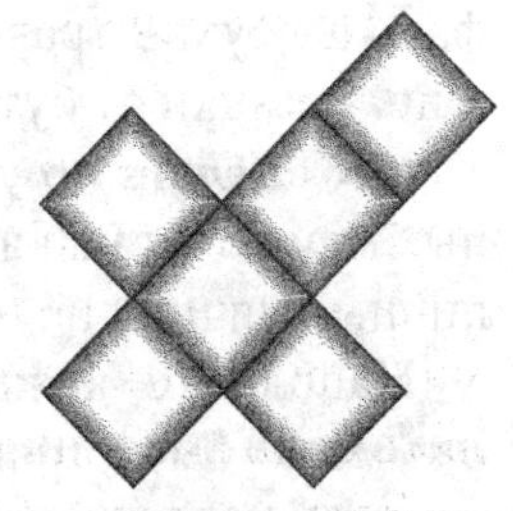

Схема развертки кубика

Скроите детали и сшейте их вместе, отступив от края 1 см.

Одну грань не застрачивайте. Через нее можно будем вывернуть и набить кубик. Наполнить игрушку можно мелкими кусочками поролона или синтепона.

Вариант наполнителя для кубиков

Последний шов сделайте потайными стежками. Стежки должны быть мелкими, а нитку необходимо очень хорошо закрепить, чтобы кубик не распоролся. При желании в один из углов можно вшить петлю и подвешивать кубик над грудью малыша так, чтобы он мог дотянуться до него руками.

Кубик можно использовать и как погремушку. В контейнер от «Киндер-сюрприза» насыпьте немного гороха или фасоли и положите его внутрь кубика.

Цель: развитие тактильных ощущений, массаж пальчиков, развитие слуха, координации.

ЗМЕЙКА ИЗ МЯЧИКОВ

Вам потребуется: кусочки тканей разных размеров, цветов и фактуры; любые материалы для наполнителя (вата, синтепон, целлофан, обрезки тканей и шерстяных ниток, пуговицы, шарики от погремушек, различные крупы (особенно удобны рис, греча, пшено), горох, фасоль, сухие травы — успокаивающие и тонизирующие, крышки от бутылок, болтики и т. п.).

Как сделать игрушку. Сшейте несколько разноцветных мячиков так, как сказано в описании игрушки «Тряпичные мячики и „колбаски“».

Наполните каждый мячик разным наполнителем. Это могут быть: тряпочки шерстяные, шелковые, трикотажные, нитки и кусочки тканей, целлофановые пакеты различной шершавости, крупы.

Можно сшить две змейки. Одна змейка набитая крупами так: в головку фасоль, затем по убывающей горох, чечевица, гречка, рис, пшено. В каждом шарике отдельный наполнитель.

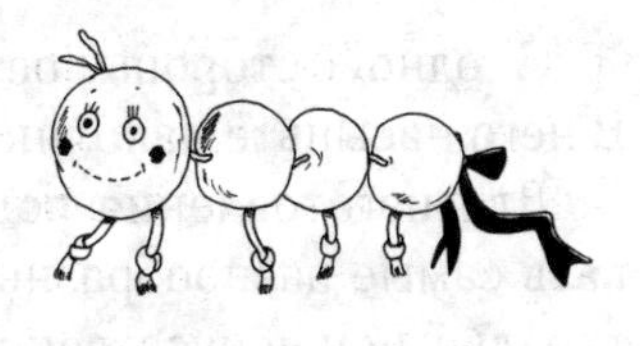

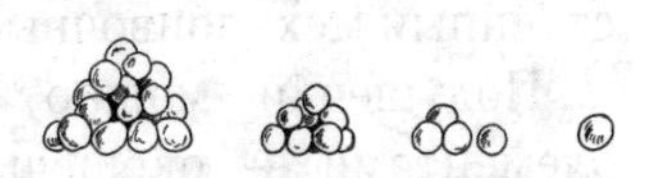

Змейка с наполнителями

Другая змейка — звучащая. В шариках, наполненных синтепоном, футлярчики от киндер-сюрпризов, а в них горошинки. В головке горошинок много, в тельце — по убывающей, а в хвостике — одна. Звучать будет все время по-разному.

ПОДУШЕЧКИ С НАПОЛНИТЕЛЯМИ

Вам потребуется: кусочки тканей разных размеров, цветов и фактуры; любые материалы для наполнителя.

Как сделать игрушку. Вырежьте из ткани квадраты размером 10×10 (12×12 или 15×15) см. По своему усмотрению вы можете заготовить из ткани и другие геометрические фигуры — треугольник, круг, ромб и т. д.

Сложите кусочки ткани лицевой стороной друг к другу. Прошейте по краям простой строчкой, а затем зигзагом, чтобы ткань не крошилась.

Выверните изделие на лицевую сторону.

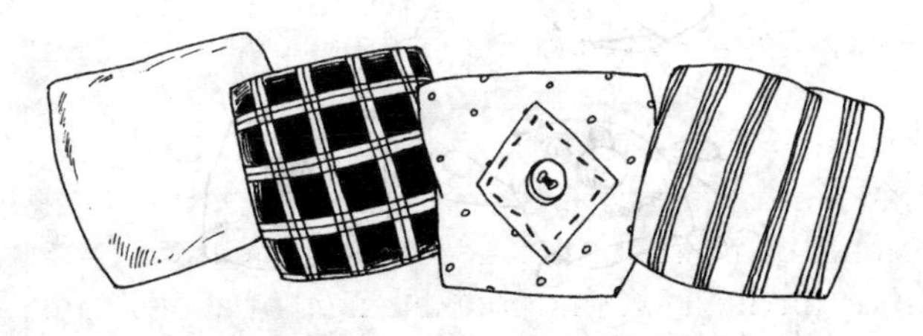

Подушечки с наполнителями

С одной стороны оставьте небольшое отверстие. В него насыпьте наполнитель и зашейте подушечку.

Для изготовления подушечек вы можете использовать самые разнообразные ткани: ситец, трикотаж, натуральный и искусственный шелк, тюль, капрон, искусственный мех, обивочные грубые и мягкие ткани.

Подушечки можно усложнять дополнительными элементами — окошечками, аппликациями, бусинками, пуговицами, подвижными элементами в виде ручек-ножек, ушек, хвостиков у зверюшек и т. п.. Очень полезны для малышей подушечки с окошечками. На такой подушечке сверху рисунка или аппликации нашивается дверка-окошечко, которое закрывает основной рисунок. Ребенок может его открывать и закрывать, каждый раз удивляясь увиденному.

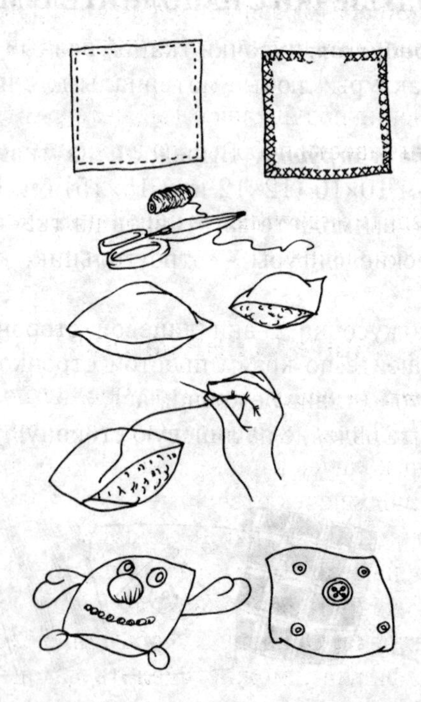

Схема изготовления подушечек с наполнителями

В таких деталях можно использовать примеры смены настроения у героев. Например, сверху на окошечке герой улыбается, а под ним — грустит, или наоборот.

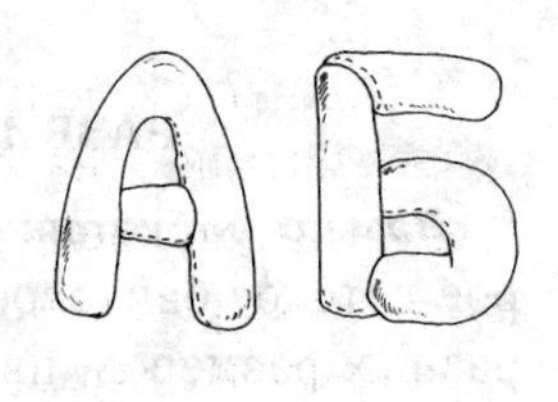

Если у вас есть желание и немного свободного времени, можете сшить подушечки более сложной конфигурации. Это могут быть геометрические фигуры, человечки, животные, буквы и цифры. Такие подушечки можно использовать и для обычной игры.

Подушечки могут быть разной формы

Можно сшить несколько небольших подушечек разной формы, украсить разными тесемками и петельками, чтобы игрушки можно было подвешивать или соединять между собой.

Для хранения подушечек вы можете сшить отдельно мешочек или завести небольшую коробку.

Цель: развитие тактильных ощущений, мелкой моторики, массаж пальчиков.

МЯГКАЯ ПИРАМИДКА

Как сделать игрушку. Сшейте плоские подушечки в форме треугольника, квадрата и круга — они будут выполнять роль колечек в пирамидке. Не забудьте сделать посередине подушечек отверстие.

Например: квадрат (длина стороны — 25 см), дальше — круг диаметр 20 см), треугольник (длина стороны 15 см). В качестве наполнителя лучше всего подойдет рис или греча. Основание с осью, на которые будут надеваться фигуры, можно сделать самим, а можно взять от любой старой пирамидки.

РАЗВИВАЮЩИЙ КОВРИК

Вам потребуется: плотная ткань для основы или старое детское байковое одеяло; поролон; кусочки тканей разных размеров, цветов и фактуры; пуговицы, пластмассовые молнии, «липучки», шнурки, ленты прочая галантерейная мелочь.

Как сделать игрушку. Приготовьте ткань размером 1,3×1,3м. Это может быть флис, нетолстый драп. Для изнанки коврика можно взять фланель, ситец, бязь.

Также можно использовать детское байковое одеяло или стеганый подкладочный материал с синтепоном.

Далее все зависит от вашей фантазии, умения и свободного времени. На коврик в разных местах вы можете нашить:

- большие пуговицы;
- разноцветные лоскутки самых разных материалов, в том числе и из искусственного меха;
- подушечки с наполнителями. Подушечки плотно пришиваются за один край так, чтобы малыш мог переворачивать их, как книжные странички. Также можно пришить простые вязаные квадратики;
- ленты, шнурки, тесемки. На их концах можно завязать кольца от пирамидок, прорезыватели для зубов, пришить крупные пуговицы;
- яркие резинки, к которым тоже можно привязывать предметы и менять их, когда интерес к ним будет пропадать;
- крупные пластмассовые молнии;
- застежки-«липучки»;
- шерстяной носочек, в который можно что-то класть и вынимать;
- пластиковую коробочку с крышкой на ленточке (подойдет любая коробочка из-под масла или сыра);
- несколько катушек от ниток, соединенных в бусы;
- 2–3 кармашка с застежками на пуговицах и «липучках».

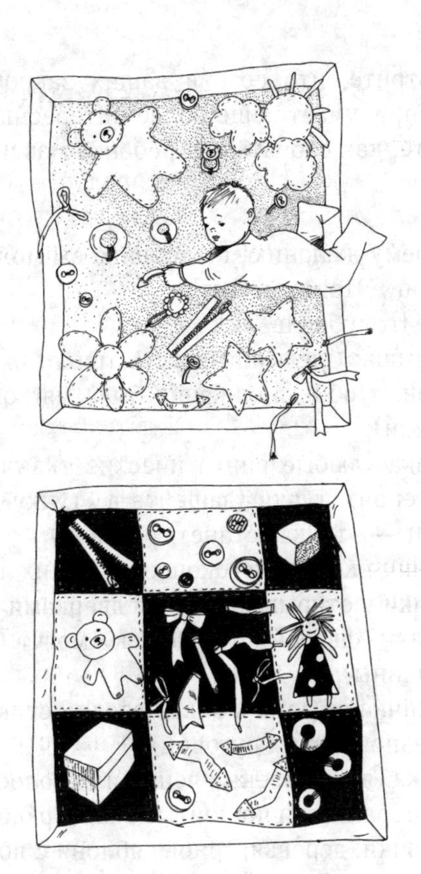

Развивающие коврики

Посмотрите, что есть в ваших закромах. Скорее всего вы придумаете еще более интересные варианты. Подумайте, как собрать для ребенка максимум разных ощущений.

По своему желанию, на коврике вы можете сделать аппликации. Это могут быть:

- река (голубой шелк);
- солнышко (шелк или шерсть, трикотаж, внутри синтепон, чтобы аппликация была мягкой, ленточки-лучики);
- облака (любые синтетические ткани, внутри — синтепон), тучки (зашейте в «тучку» шуршащий пакет — «тучка» станет грозовой);
- домик с окошками (окошки из ярких ленточек);
- домики с открывающимися дверками и окошками (детали «дверей» и «окошек» могут быть разной величины);
- тропинка от дома к реке через мостик (мостик — из разноцветных пуговиц);
- травка (ярко-зеленые ленты или полоски материала, собранные и пришитые в виде рюшечек);
- цветочки, деревья, грибы, яблоня с яблоками (яблоки можно прикрепить с помощью «липучек»);
- любые животные (можно использовать искусственный мех, толстые синтетические нити);
- маленькая кукла в полный рост с длинными волосами, которые можно расплести-заплести (можно сшить отдельно, потом прикрепить на готовый коврик. Волосы куклы делаются из синтетической нити). Удачный вариант, чтобы малыш мог рассматривать лицо, искать носик, глазки, бровки, ротик, ушки, ручки-ножки и т. д.

Аппликации пришиваются зигзагом капроновыми нитками.

Когда основная работа над ковриком закончена, пришейте ткань с изнаночной стороны. По периметру вы можете пришить несколько кусочков жесткой «липучки». Это позволит вам прикреплять коврик к ковролину на полу, гобеленовой обивке дивана, чтобы ваше творение не сбивалось в ком.

Цель: Такой игрушки вам хватит не на один месяц. Вначале малыш будет рассматривать и трогать все предметы коврика, получая разнообразные тактильные ощущения. Когда ребенок подрастет, с помощью коврика можно разыгрывать различные сценки, придумывать сказки, изучать размер, цвет и многое другое.

РАЗВИВАЮЩАЯ КНИЖКА

Вам потребуется: синтепон (поролон); однотонная ткань или ткань с мелким рисунком (для фона); лоскутки тканей различных цветов и фактуры (трикотаж, хлопок, шелк, мех, кожа, замша, махровая ткань и т. д.) для аппликаций; различные пуговицы, кнопки, молния, шнурки, «липучки», тесьма, узкие ленточки для окантовки страниц и для украшения.

Как сделать игрушку. Количество страниц в книжке — 4–6. Все страницы книжки шьются «кармашками».

Возьмите кусок ткани 30×30 см. Пристрочите аппликацию. Если оборотную сторону страницы вы хотите

Развивающие книжки

сделать без аппликаций, просто пришейте к странице подкладку. Если вы планируете заполнять каждую страничку, сделайте аппликацию и на куске материала, который будет оборотной стороной страницы.

Выверните на лицевую сторону. У вас получится кармашек с открытой одной стороной. Прострочите по закрытым сторонам еще раз, чтобы сохранить форму. Вложите внутрь слой синтепона или поролон и зашейте страничку окончательно.

Сторона, которая застрачивается последней, — та, которой страница будет крепиться к обложке.

Для обложки возьмите кусок ткани 67×30 см. На обложке также можно сделать различные аппликации, с помощью тесьмы написать имя малыша. Когда страницы обложки будут готовы, пришейте подкладку.

Теперь осталось сложить обложку и все страницы. Они складываются в правильном порядке и прошиваются длинной иглой с прочной нитью. Если в страницы вы вкладывали поролон, то шов должен идти рядом с поролоном, а не по нему, иначе книжка будет сама закрываться.

Какие страницы могут быть в книге?

Страница первая — дом.

Сначала пришивается дом — квадратный и треугольный кусочки ткани. В центре вырезается окошко. Окошко закрыто ставнями, они пристрочены по бокам окна. Ставни можно открывать и закрывать.

По своему желанию вы можете на этой же страничке сделать солнышко (подойдет любая синтетическая ткань). Лучи солнышка могут быть пришиты, а могут быть нарезаны широкой «лапшой». Сделать это можно так:

- из ткани вырезается круг, в нем рисуется круг поменьше;
- ткань нарезается довольно широкой «лапшой» до границы внутреннего круга.

Теперь лучи надо проредить — вырезать через один, и пришить солнце за края внутренней окружности так, чтобы лучи болтались.

Страницы книжки 1–2

Наполнить солнышко можно синтепоном или пластиковыми пакетами, чтобы изделие шуршало.

Рядом с домом можно «посадить» траву (зеленые полушерстяные нитки, длиной около 6 см сложить вдвое и пристрочить в ряд).

Страница вторая — дерево.

Пришивается ствол — кусок плотной материи темного цвета. Крона выполняется из любого материала. На крону пришиваете яблоки из разноцветных кусочков ткани. По своему желанию наполняете крону или яблоки любым материалом. Яблоки можно сделать в виде разноцветных пуговиц.

Страницы третья и четвертая — лица.

Девочка с косами. Косы можно заплетать и расплетать, дергать, ощупывать.

Лицо девочки — аппликация из розовой ткани, нос, рот, брови, ресницы и веки вышиты мулине, глаза — кусочки ткани.

Косы — много длинных ниток пряжи, пристроченных на «проборе» и над ушами. Тесьма, которой завязываются косы, пришита посерединке, концы свободны.

Страницы 3–4

Лицо мальчика выполняется так же. Ушки можно пришить одной строчкой и наполнить любыми шуршащими материалами. Их можно будет шевелить, при этом они будут издавать звук.

На лицах можно показывать глаза, брови, рот, нос и прочие части лица.

Страницы пятая и шестая — рыбки.

Рыбки выполняются как обычные аппликации, наполняются по вашему желанию любыми материалами.

Основу страничек с рыбками можно выполнить на голубом материале.

Страницы 5–6

Если вы хотите заставить рыбку двигаться, пришейте за один конец странички тесьму. У рыбки с изнанки сделайте две петли. Проденьте через петли тесьму. Другой конец тесьмы закрепите с другой стороны странички.

Так же вы можете делать и с другими аппликациями — корабликами, машинками, животными.

Странички с аппликациями бабочки и цветка можно разнообразить не только с помощью различных материалов, но и благодаря разным наполнителям. Наполните каждый лепесток цветка отдельно — синтепоном, полиэтиленом, фасолью и т. п.

Крылья бабочки можно пришить к туловищу только одной строчкой, чтобы малыш мог шевелить их. К крыльям можно пришить «липучки» — ребенку будет интереснее «отклеивать» их.

Страницы 7–8

Что еще можно использовать на страничках? Практически все, что подскажет вам ваша фантазия.

Цветочный луг с липучками на цветках, чтобы можно было сажать на них бабочку (бабочка при этом должна быть дополнительно пришита на тесемку), шнуровка, кармашек с молниями, машинки и светофоры, животные, человечки в разных одежках и многое другое!

ЛИЧНЫЕ КНИЖКИ ДЛЯ МАЛЫШКИ

Вам потребуется: обычные фотоальбомы для фотографий размером 10×15 с мягкой обложкой. Они представляют собой маленькую книжечку с прозрачными кармашками и стоят очень дешево, картинки для альбомов с подписями.

Картинки для книжки

- любые животные (домашние и дикие), птицы, рыбы.
- садовые цветы, дикорастущие растения.
- овощи, фрукты, ягоды;
- мебель;
- посуда, предметы домашнего обихода,
- фотографии близких людей,
- изображения детей (особенно в действии);
- виды транспорта, но не марки машин;
- 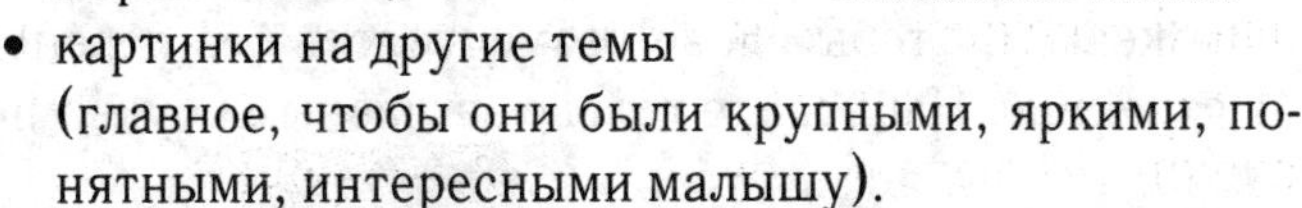
картинки на другие темы (главное, чтобы они были крупными, яркими, понятными, интересными малышу).

Самодельные книжки

Где найти картинки

1. Если у вас есть доступ в Интернет, можно «скачать» большое количество тематических картинок с разных сайтов и распечатать на принтере. Найти можно с помощью поисковых систем, детских сайтов.

2. Купить или поискать у знакомых диски-галереи, на которых есть огромный выбор качественных изображений. Их тоже придется распечатать на принтере.

3. Вырезать из разных журналов, календарей, которые найдете дома, у друзей и родственников.

4. Использовать недорогие детские энциклопедии для самых маленьких с картинками большого размера. Это, конечно, дороговато, так как книги придется покупать в двух экземплярах, чтобы иметь изображения и с четных, и с нечетных страниц. Если у вас есть сканер, картинки можно сканировать, а затем распечатывать.

5. Использовать картинки из готовых тематических лото. В продаже таких игр сейчас много, большинство из них печатаются на хорошем картоне разного формата.

Одним словом, если вы захотели сделать такие альбомы, ищите и используйте любые варианты.

Как сделать книгу

Откройте фотоальбом, вставьте в кармашек картинку с подписью.

Второй вариант. Разверните фотоальбом горизонтально, откройте его на развороте. В верхний кармашек вставьте картинку, в нижний — подпись к ней.

Слова можно написать фломастерами или напечатать — набрать на компьютере (шрифтом Arial, большим кеглем, чтобы слово разместилось без переносов на странице. Набирайте только заглавными буквами).

Название книг

Назвать книжку вы можете просто по имени ребенка (Сашина, Машина книжка).

Второй вариант. Если вы делаете тематические книжки, назовите их коротко и понятно. Например, не «Дикие животные», а «Звери из леса», не «Виды продуктов», а

«Еда». Одна и та же картинка может попасть в разные альбомы. К примеру, курица попадает и в «Домашние животные», и в альбом «Птицы», а вот в раздел «Еда» эту картинку, как вы понимаете, лучше не ставить.

ВЕСЕЛЫЕ КОЛПАЧКИ

Вам потребуется: цветной картон; клей.

Как сделать игрушку. Вырежьте из цветного картона заготовки для колпачков — полукруги разного размера. Радиус самого маленького полукруга — 3 см, радиус каждого следующего — на 1 см больше предыдущего.

Изготовление колпачков

Используйте три основных цвета — красный, синий и желтый. Повторите их последовательность три раза, таким образом вы получите 9 полукругов.

Склейте из заготовок колпачки, соединив стороны каждого полукруга.

Как играть. Вы можете поиграть с ребенком в следующие игры.

Игра 1

С помощью двух колпачков познакомьте ребенка с понятиями и словами «большой» — «маленький», «больше» — «меньше».

Игра 2

Покажите ребенку, что можно сделать башенку, поставив маленький колпачок на большой. Можно сде-

С колпачками можно придумать много занимательных и полезных игр

лать и наоборот, тогда маленький колпачок спрячется под большим. Таким образом вы объясните ребенку значения слов «верх» — «низ», «над» — «под», «видно» — «не видно».

Игра 3

Научите ребенка сравнивать колпачки. Для этого сначала используйте два колпачка разных цветов, которые сильно отличаются по размеру: «Найди большой», «А теперь найди маленький». Потом предложите малышу выполнить то же задание, но с колпачками, которые не слишком различаются по величине. Когда ребенок хорошо освоит упражнение, вводите в игру еще один колпачок, чтобы познакомить с понятием «средний».

Игра 4

Можно составлять ряды из колпачков по разным критериям: по цвету или по величине. Когда ребенок уже хорошо ориентируется во всех девяти колпачках, он может начать строить из них башенки или прятать маленькие колпачки в «домик» под самым большим.

Игрушки на скорую руку

Возможно, вам уже доводилось слышать от разных родителей: «У ребенка столько нормальных игрушек, а он хочет играть с пультом от телевизора, какими-то коробками, носками и т. п.»

Будьте уверены: ваш малыш тоже талантлив и быстро сообразит, что вокруг очень много интересного, с этими предметами можно манипулировать, а значит и развивать свой интеллект. И не считайте это капризами, плохим характером, вредностью со стороны ребенка. Подумайте, что вы можете предложить своему малышу из предметов, которые есть у вас под рукой.

ВОЛШЕБНЫЕ КОРОБКИ

Вам потребуется: упаковочные картонные коробки средних и маленьких размеров; разноцветная бумага; ножницы.

Как сделать игрушку. Возьмите обычные коробки. Что можно сделать с ними?

- оклеить разноцветной бумагой или аппликациями;
- оклеить каждую грань разным цветом, приклеить разные картинки (изображения животных, овощей, фруктов, птиц, цветов и т. п.);
- прорезать дырки разных геометрических форм (треугольник, овал, круг и т. д.);
- прорезать открывающиеся окошечки;
- прорезать отверстия для рук ребенка. В коробку положить различные

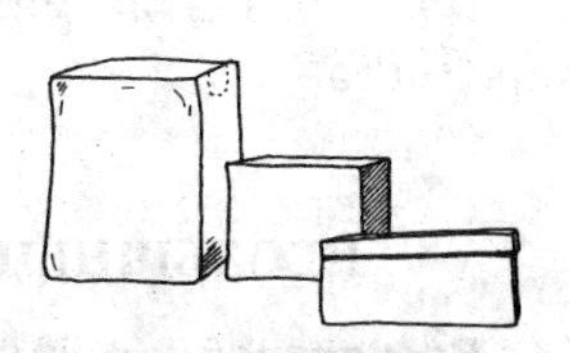

Из обычных коробок легко сделать развивающие игрушки

предметы, чтобы малыш мог вытаскивать их на ощупь через «окошечко»;

- в оклеенную коробку положить любой гремящий наполнитель (пуговицы, горох, фасоль, шарики от старых погремушек и т. д.);
- перевязать коробку различными тесемками, нитками, поясками.

Цель: развитие осязания, тактильных ощущений, логики, кругозора.

БУСЫ

Вам потребуется: все, что удастся надеть на тонкую веревку:

- пуговицы;
- шарики от старых погремушек;
- колпачки от фломастеров (предварительно проделайте в них отверстия);
- пробки;
- пластиковые крышки.

Бусы можно сделать из многих предметов

Как сделать игрушку. Проделайте отверстия в этих предметах, проденьте шнурок, крепко завяжите концы.

С помощью таких бус-самоделок можно обучаться счету, развивать мелкую моторику.

Цель: развитие мелкой моторики, познание формы предмета.

НЕОБЫЧНЫЕ ОБЫЧНЫЕ БУТЫЛКИ

Вам потребуется: различные пластиковые бутылки с крышками из-под кетчупа, горчицы, минеральной воды.

Как сделать игрушку. Возьмите пластиковые бутылки с крышками.

В одной из бутылок можно проделать два небольших отверстия напротив друг друга, проденьте через эти отверстия веревку и наденьте на ее концы любые мелкие игрушки, закрепите узелками. В бутылки можно насыпать крупный наполнитель, который не будет высыпаться из отверстий.

Игрушки на веревке могут двигаться, саму веревку тоже можно свободно передвигать от одного конца к другому.

Возьмите две пластиковые бутылки с крышками. Сделайте в крышках дырки. Проденьте один конец веревки в одну крышку и завяжите узел на внутренней стороне, а второй конец в другую крышку и тоже завяжите узел. Туго заверните крышки.

В бутылки можно насыпать разные наполнители.

Возьмите несколько небольших прозрачных пластиковых бутылок. В каждую насыпьте разные наполнители: манная крупа, скрепки, греча, фасоль, небольшие макароны и. т. п.

Бутылочки не должны быть тяжелыми для ручки малыша.

Такими игрушками очень удобно сравнивать звуки, выстраивать по их «звонкости» — «глухости», рассматривать, как движется наполнитель.

Цель: развитие мелкой моторики, развитие координации движений рук, слуха.

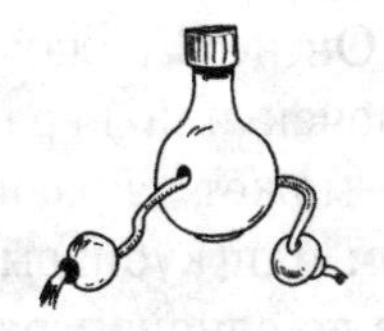

Игрушки из пластиковых бутылок

КОПИЛКА

Вам потребуется: пластиковая банка с цветной крышкой; пуговицы разных размеров и цветов.

Как сделать игрушку. Возьмите любую прозрачную пластиковую банку с цветной крышкой. Туго заверните крышку. Сделайте два-три горизонтальных отверстия в крышке. Приготовьте несколько пуговиц так, чтобы по размерам они совпадали с длиной отверстий. Покажите ребенку, как опускать пуговицы в банку через отверстие. Малышу надо будет подобрать пуговицу по размеру отверстия, взять ее пальчиками и опустить в банку.

Цель: развитие мелкой моторики, логики, обучение различать предметы по размеру.

КОРОБКИ-ВКЛАДЫШИ

Маленькие дети очень любят «запихивать» разные предметы в дырочки. Родители знают, что такие игры очень полезны для развития ручек малыша, а также для умственного развития.

В магазинах представлен большой выбор «коробок-копилок» с отверстиями для проталкивания внутрь разных предметов. Как правило, это пластмассовые ящички с отверстиями разной формы, в которые надо вкладывать соответствующие фигуры (от 3 до 20 в комплекте). Сначала такая игрушка очень сложна для ребенка, ему трудно выбирать из большого количества отверстий нужное. Он не в силах вставлять сложные фигуры, типа звездочек или неравносторонних треугольников. Малыш может справиться в основном с шариком, цилиндром или кубиком. А так как каждой фигуры в комплекте по одной, игра заключается в проталкивании одной-двух деталей.

К тому моменту, когда мыслительные способности малыша позволяют ребенку подобрать все фигуры к отверстиям, он, как правило, уже довольно большой и его руки довольно развиты, поэтому игрушка теряет свою ценность, как инструмент по развитию мелкой моторики.

Как же можно исправить подобное положение?

Где взять «копилку» одновременно простую (для ума ребенка) и сложную (для его рук)?

Сделайте ребенку первую «коробку-копилку» самостоятельно.

Коробки-копилки

Вам потребуется: деревянные цилиндры (5–10 шт); картонная коробка; цветная бумага.

Как сделать игрушку. Купите в магазине набор небольших цилиндров разного диаметра или возьмите из любого детского строительного набора. Цилиндров должно быть не очень много (5–10 шт.). Для начала используйте цилиндры одного, затем двух-трех размеров.

Возьмите картонную коробку (из плотного гофрированного картона) небольшого размера. Аккуратно приложите ваши цилиндры к верхней стороне и обведите, затем прорежьте отверстия острыми маленькими ножницами.

Для красоты коробку можно обклеить цветной бумагой.

> Внимание!
> Эта игрушка требует обязательного присутствия взрослых! Ни в коем случае не оставляйте малыша одного с мелкими предметами!

Когда будете обклеивать ту сторону, где у вас отверстия, разрежьте бумагу внутри отверстия на полоски, намажьте клеем и, завернув внутрь, приклейте.

Для того, чтобы отверстия не растрепались от постоянного просовывания, можете на каждое из них наклеить небольшой кусочек широкого скотча, сделать в нем прорези и завернуть вовнутрь.

Сбоку внизу коробки сделайте довольно большую дырку, из которой вы будет высыпать цилиндры обратно (открывающуюся крышку лучше не делать, так как она быстро оторвется).

Еще интереснее будет ваша игрушка, если внутри коробки вы вклеите под наклоном еще одну картонку (горочку), по которой упавшие внутрь цилиндры будут скатываться и сами вываливаться из дырки внизу. Попробуйте это сделать, тогда вам трудно будет оторвать малыша от этой игрушки.

Цель: развитие логики, мышления, мелкой моторики.

КОПИЛКА С МОНЕТАМИ

Вам потребуется: пластиковая банка с крышкой; различные вкладыши.

Вкладышами могут служить:

- небольшие шарики, например от пинг-понга;
- коробочки от «киндер-сюрпризов»;
- крупные и средние бусины, пуговицы;
- монетки;
- карандаши, крышки от старых фломастеров;
- фасолины, горошины, макаронины разной формы;
- кубики, кирпичики, другие детали от строительного набора;
- детали любых конструкторов, детали от пирамидок;
- любые фигуры, вырезанные из пеноплена.

Как сделать игрушку. В крышке коробочки от сыра «виола» или банки от кофе (с пластиковой крышкой, конечно, а не с жестяной) аккуратно сделайте один надрез острым ножом. Отступив буквально полтора миллиметра — еще один.

Приподняв получившуюся в середине полосочку ножом, обрежьте ее. Копилка готова.

Давайте сначала малышу монетку прямо в руку, так как взять ее со стола или с пола ему будет пока сложно. Когда он будет проталкивать ее в дырку, держите коробочку в своих руках, слегка поворачивая ее, помогая выбрать нужное положение, чтобы протолкнуть.

Через неделю тренировки малыш сам сможет и брать монетки, и правильно их ориентировать по отношению к крышке, и вовремя отпускать. Тогда вы научите его еще и открывать крышку, высыпать обратно монетки (их должно быть 5–7, не больше, чтобы не потерять интерес), закрывать крышку и продолжать игру.

Проделайте в крышке отверстия (одно или несколько), соответствующие предметам для вкладывания и игрушка готова.

Цель: развитие логики, мышления, мелкой моторики.

МАССАЖНЫЙ КОВРИК

Современные ученые утверждают, что в ногах — 72000 нервных окончаний. Ступню человека можно сравнить с картой организма. Нет таких мышц, желез, органов, которые не имели бы своего представительства на подошве. Поэтому так эффективны простые занятия на массажном коврике, стимулирующие стопу, и для взрослых, и для детей. Кроме этого, такие упражнения — замечательный способ профилактики плоскостопия.

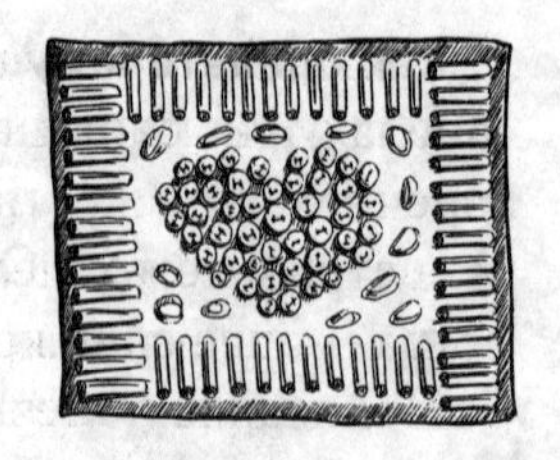

Массажный коврик

Вам потребуется: коврик; кусочки ткани для аппликации; синтепон (синтепон должен быть тонким, в один слой, чтобы не свести к нулю эффект от массажа); высохшие фломастеры; пуговицы и бусинки; пластмассовый пузырек (нарезан тонкими кольцами).

Как сделать игрушку. Сделайте основу (коврик), затем выполните любую аппликацию. Фломастеры разрежьте пополам, проплавьте отверстия толстой иглой или шилом, проденьте нитку и крепко пришейте к коврику. Также пришейте пуговицы.

Цель: массаж стоп.

СЕНСОРНАЯ ДОРОЖКА

Вам потребуется: гладкая доска; прозрачная и плотная ткань; непрозрачная ткань; разноцветные крупы (зеленый горох, белая и красная фасоль, гречка, чечевица, пшено); застежка-молния.

Доска в основе дорожки нужна, чтобы коврик не сминался. Важно подобрать гладкое дерево, о которое нельзя занозить руку или ногу. Хотя снаружи и будет ткань, но малыш может захотеть и поднять игрушку, и перевернуть, и молнию расстегнуть, так что лучше сразу позаботиться о безопасности.

Как сделать игрушку. Из непрозрачной ткани раскроите чехол на доску (прямоугольный кусок ткани, в который данную доску можно завернуть с небольшим запасом).

Сенсорная дорожка

С одной стороны чехла пришейте прозрачную ткань, прострочив на машинке так, чтобы получились кармашки.

Заполните их мелкими неострыми предметами. Хороший вариант — крупы, но в этом есть и свои минусы. Такую дорожку нельзя постирать и надо беречь ее от влаги.

В кармашки можно положить пульки от игрушечного пистолета, бусины (деревянные или пластмассовые, но не стеклянные), пуговицы.

Когда кармашки заполнены, остается их зашить и проверить, чтобы содержимое не могло просыпаться.

После этого дошейте чехол на доску и с одного края вставьте молнию. (Молнию можно не вставлять, а плотно сшить края. Однако в этом случае нельзя будет снять и постирать дорожку.)

ВЕСЕЛЫЙ УДАВ

Вам потребуется: кусок плотной ткани длиной около 1,5 м; маленькие разноцветные тряпочки; пуговицы; бисер; материал для набивки (вата, синтепон, старые тряпки).

Как сделать игрушку. Из куска ткани вырежьте ленту 1,5 м длиной и 20 см шириной. Сшейте ее по длинному краю. У вас получится длинная «кишка».

Теперь очень плотно набейте «кишку» наполнителем. Ваш «удав» должен быть плотным, тугим и ровным, без комков, иначе ребенок может упасть. Теперь крепко зашейте концы, чтобы наполнитель не вываливался.

Чтобы украсить игрушку, можно предварительно нашить пятнышки-лоскутки, сделать «удаву» глазки и ротик. Пятнышки лучше сделать из другой по фактуре ткани — гладкие атласные или, наоборот, грубые, а может быть, пушистые меховые. Также можно сделать

Как сделать «веселого удава»

небольшие островки из бисера. Для этого нашейте бусинки рядом, одна к одной.

Как играть. Положите «удава» на пол и предложите ребенку пройти по нему так, чтобы не оступиться и не упасть. Для этого ребенку надо держать равновесие.

Ходить лучше всего босиком, чтобы развивалась чувствительность стопы, стимулировались активные точки кожи.

ВЕСЕЛЫЕ КАРТИНКИ

Вам потребуется: коробка цилиндрической формы; картинки; клей; скотч.

Как сделать игрушку. Маленьким детям очень полезно рассматривать картинки. Но вся проблема заключается в том, что совсем маленькому ребенку нельзя дать бумажную картинку в руки. Действительно, какое уж тут рассматривание, когда бумажку можно обслюнявить или порвать! А с каким чудесным шуршанием она мнется!

Но есть способ доверить маленьким ручкам ценные картинки. Попробуем своими руками создать картинку, которая не будет рваться и мяться.

Для этого отыщите коробку цилиндрической формы из плотного картона (в таких коробках продаются чипсы или конфеты). Можно использовать и обычную пластиковую бутылку, у которой надо обрезать горлышко и донышко. Места срезов необходимо оклеить изолентой, чтобы малыш не поранился. Это будет основа игрушки. Наклейте на коробку иллюстрации. Подберите их так, чтобы одна картинка не охватывала окружность целиком, а занимала максимум ее половину, иначе будет нарушена целостность изображения. Игрушку, которую вы делаете, можно не только рассматривать, крутить в ручках, но и катать по полу. Поэтому лучше наклеивать изображения поперек цилиндра, и когда малыш начнет его катать, картинки не будут расположены боком. В качестве картинок советуем вам использовать вырезки из журналов и иллюстрации из испорченных детских книжек.

Очень красивый цилиндр получится, если сначала вы обклеите его блестящей переливающейся самоклеящейся пленкой, а сверху поместите несколько картинок.

Для долговечности сверху коробку обклейте скотчем, или, что удобнее, широкой термопленкой, которая продается в канцелярских магазинах.

Игра развивает мелкую моторику, зрительное восприятие; знакомит с окружающим миром.

ЛУКОВИЦЫ В ВОДЕ

Вам потребуется: банки с водой; луковицы различных цветов (гиацинтов, тюльпанов) или обычного репчатого лука (чеснока); кувшины с водой.

Как играть. Ребенок приносит материал на стол. Он разливает воду из кувшина по бокалам. Затем аккуратно вставляет каждую луковицу в горлышко бокала. Она не должна провалиться в воду. Когда все готово, поднос с посажеными луковицами выставляется к свету и ведется наблюдение за ними (появление корней, стебля. листьев, цветение).

КОРОБОЧКИ С ЗАПАХАМИ

Вам потребуется: четное число небольших коробочек или баночек с крышками; остро пахнущие вещества, например: кофе, какао, приправы из гвоздики, корицы, аниса.

Как сделать игрушку. Наполните каждую пару коробочек или баночек своим веществом.

Одни коробочки положите в первый ящик, из пары — во второй. Крышки надо подписать.

Как играть. Начиная с трехлетнего возраста, можно учить ребенка различать вещества с помощью обоняния.

Выньте все коробочки или баночки, снимите крышки и положите их рядом. Затем возьмите коробочку в руку и четко покажите, как ее нюхают, вдыхая через нос. Ребенок повторяет ваше действие. Затем он нюхает все остальные коробочки.

Выньте коробочки из второго ящика. Держите в руках по одной коробочке из каждого набора, нюхайте и сравнивайте запахи, побуждая ребенка нюхать и сравнивать подобным же образом. Если запахи в двух коробочках различны, он отставляет одну коробочку в сторону и ищет до тех пор, пока не найдет коробочку с таким же запахом, что и во второй. Подходящие коробочки ставятся рядом друг с другом попарно. Так одна за другой к каждой коробочке или баночке находится пара.

Позже можно проводить игру с закрытыми глазами.

Применение:

- вместо коробочек или баночек можно наполнить мешочки остро пахнущими травами, например лавандой, тмином;
- во время спокойных игр или на прогулке определить, какие цветы пахнут, а какие нет;
- узнать по внешнему виду растения, которые в высушенном виде находились в коробочках или в мешочках и с запахами которых дети ознакомились;
- разбить клумбу из трав;
- засушить травы;
- заварить чай из разных трав.

БОЛЬШИЕ КОРОБКИ

Любой малыш мечтает о своем собственном маленьком домике, в котором можно играть или прятаться. Вместе с малышом вы можете соорудить замечательный эксклюзивный дом из обыкновенной коробки от телевизора или монитора.

Вам потребуется: большая коробка; старые обои; ножницы; клей.

Как сделать игрушку. Чем больше коробка, тем лучше. Крышей будет служить дно коробки. Чтобы домик получился повыше, выпрямите четыре «створки», которыми коробка обычно закрывается, и закрепите их в таком положении несколькими слоями скотча. Полом в вашем доме будет служить пол комнаты. Коробку обклейте со всех сторон белой бумагой или кусками обоев. Затем аккуратно прорежьте окошки и отогните «ставни». Таким же образом соорудите дверь. Дом почти готов. Пусть хозяин возьмет краски и разрисует жилище по своему вкусу. А еще лучше, сделайте это вместе.

Можно обклеить домик картинками и плакатами из детских журналов. Получится ярко и весело. Будет интересно рассматривать стены, искать любимых героев из мульфильмов. Такое сооружение надолго станет любимой игрушкой малыша.

МАЛЕНЬКИЕ КОРОБКИ

Небольшая коробка от детского питания или пакет из-под сока может превратиться во что угодно. Например, в кукольную мебель или бытовую технику.

Вам потребуется: коробка средних размеров (например, от детского питания); цветная бумага; ножницы; клей.

Как сделать игрушку.

Холодильник

Например, вы задумали сделать холодильник. Обклейте коробку бумагой или оберните фольгой, вырежьте дверцу, внутрь вклейте несколько полочек. Холодильник готов!

Стиральная машина

Если немного пофантазировать, можно превратить коробку и в стиральную машину. На боковой стенке коробки вырезаем круглое отверстие, изнутри заклеиваем его кусочком прозрачного пластика или пищевой пленкой. Разрисовываем переднюю стенку под «натуральную» стиральную машину, вставляем сбоку кусочек соломинки для коктейля — шланг. Белье закладываем сверху, и пусть оно понарошку стирается.

Подобным образом можно сделать и микроволновую печь, и газовую плиту с духовкой, и, конечно, всевозможную кукольную мебель. Например, шкаф для одежды.

Шкаф для одежды

Чтобы сделать шкаф, сначала соорудим ящики. Для этого склеим вместе три спичечных коробка и обклеим сверху цветной бумагой. Ручки в ящиках сделаем из маленьких деталек от мозаики, проколов в коробочках дырочки, капнув по капельке клея и вставив туда детальки. За эти ручки можно будет ящички выдвигать и задвигать.

Теперь в нижней части коробки прорежем аккуратное отверстие и вставим туда наши ящики, хорошо закрепив скотчем или полоской бумаги. А выше ящиков вырежем двери. Теперь чуть ниже крыши «шкафа» в боковых стенках сделаем отверстия и вставим туда деревянную палочку, карандаш или плотную трубочку для коктейлей. Из проволоки сделаем плечики и повесим на получившуюся вешалку. Теперь куклы смогут вешать в шкаф свои наряды, а в ящиках хранить туфли, бусы и прочие безделушки.

ОЧЕНЬ МАЛЕНЬКИЕ КОРОБКИ

Вам потребуется: небольшие коробочки (например, от маленьких соков); цветная бумага; клей; ножницы.

Как сделать игрушку.

Автомобиль

Если обклеить их бумагой, нарисовать окошки, двери и приклеить картонные колесики, может получиться маленький автомобильчик.

Поезд

Можно сделать паровоз и несколько коробочек-вагончиков, соединяющихся при помощи обычных канцелярских скрепок, вставленных на манер крючков в торцы коробочек. Если при этом вырезать верхнюю стенку, в машинки и паровозики можно сажать пассажиров.

Дом для игрушек

Кроме этого, такие пакетики могут превратиться в домики для игрушек или гаражи для машинок, будки для маленьких собачек или кроватки для куколок. Нужно лишь соответственно их оформить и раскрасить.

Кораблики

Из соковых пакетов получаются отличные кораблики. Благодаря особому водонепроницаемому материалу, они не будут промокать и тонуть, как обычные бумажные.

Если вы планируете сделать из коробочки кораблик, не прокалывайте соломинкой фольгу. Прорежьте дырочку в широкой боковой стороне и слейте сок в стакан, а саму боковую сторону вырежьте, чтобы получилось корытце. Устанавливаем на кораблик мачту из зубочистки или соломинки для коктейлей, крепим парус из кусочка бумаги.

Спустите корабль на воду в ванной и, если он выдержит испытание, сохраните его до скорой весны. Скотчем приклейте к «носу» корабля веревочку, и тогда маленький капитан в резиновых сапогах сможет тянуть его за собой по весенним ручьям. Не забудьте дать кораблю имя.

Конструирование

Множество возможностей таят в себе и обыкновенные спичечные коробки. И если у вас накопилось некоторое количество этого творческого материала, можно заняться занимательным конструированием.

Из склеенных коробков получаются собачки, жирафы и прочие представители фауны, роботы, кукольная мебель.

Этажерка

Если малыш собирает коллекцию из «Киндерсюрпризов», а на полке уже нет места для этих маленьких вездесущих пылесборников, соорудите вместе с малышом этажерку. Для этого возьмите внутреннюю часть спичечного коробка, вклейте в его уголки зубочистки, а на зубочистки насадите следующий коробочный ярус. Таким образом, сделайте несколько этажей.

Затем приступайте к созданию новой этажерки. Для того, чтобы конструкция не была слишком хлипкой, склейте боковые стороны коробочек соседних «этажерок» между собой. Так у вас получится настоящий стеллаж, где у каждого игрушечного малыша будет свое место. А еще эта конструкция может стать многоэтажной кроваткой все для тех же зверюшек или многоярусным гаражом для машинок.

Комод

Для маленьких рукодельниц, увлекающихся изготовлением украшений из бусинок, можно склеить из спичечных коробков мини-комод, где в каждом ящике будут лежать бусины определенного цвета и формы.

ГРЕМЕЛКА

Вам потребуется: пустая банка от чая; несколько каштанов (фасоли, грецких орехов, гороха или пуговицы); цветная бумага; колечки от пирамидки; клей; шнурок.

Как сделать игрушку. В банке от чая проделайте две дырки с разных сторон, проденьте в них шнурок. Затем произвольным образом обклейте банку цветной бумагой. Положите внутрь каштаны или фасоль и плотно закройте крышку. Крышку лучше всего потом приклеить.

Затем возьмите два колечка от пирамидки или две большие пуговицы и наденьте на шнурок. Сам шнурок можно потом завязать или оставить концы свободными.

КОРОБКА-ПОГРЕМУШКА

Вам потребуется: пустые коробочки от компакт-дисков; грецкие орехи, каштаны.

Как сделать игрушку. Если у вас остались, не спешите их выбрасывать. Из них можно сделать забавные погремушки для ребенка. Достаточно просто положить внутрь несколько грецких орехов или каштанов, склеить (или просто закрыть) коробочку — и игрушка готова!

Можно взять толстый ненужный браслет, положить его внутрь коробочки и по обе стороны от браслета поместить разные шарики или орехи.

ДОМИК-ШНУРОВКА

Вам потребуется: немного материала, желательно плотного, можно обрезки ткани; два цветных шнурка по 1 метру; бельевая веревка или тесьма; липучки; 8 ковровых колец; 2 большие пуговицы; большая «молния»; 1,5–2 часа времени; немного фантазии.

Как сделать игрушку. Возьмите два одинаковых по размеру лоскута и соедините их «молнией». Это будут стены домика.

Затем из другого куска ткани выкройте треугольник-крышу (можно сделать ее двойной для большей плотности) и пришейте к стенам.

Далее сделайте маленькое квадратное окошко, которое затем пришейте на крышу. Оно будет закрываться на липучку, поэтому липучку тоже надо пришить.

Для украшения домика можно пришить листик, вырезанный из рисунка ткани. Точно так же, как окошко, сшейте дверку. К ней надо будет пристрочить две петельки, сделанные из кусочка шнурков. Так как дверка будет закрываться на пуговицы, то пришейте также пуговицы.

Под дверку можно пришить какой-нибудь узор или сказочного персонажа. Тогда эту дверь будет еще интересней открывать: ведь там кто-то сидит!

Затем наложите получившийся домик на кусок плотной ткани (бортовки, например) и просто пришейте его, а затем по контуру обрежьте.

Нижний край бортовки не обрезайте, а сделайте из него «фундамент» (просто подогните и пристрочите), а потом произвольно пристрочите к «фундаменту» шнурок или тесемку (для красоты).

В конце пришейте внутрь получившегося кармашка на «молнии» липучку для того, чтобы туда можно было прилепить игрушку.

Сделайте дверки для шнуровки и пришейте к ним ковровые колечки. Затем вставьте в эти колечки второй шнурок. Домик готов!

По краю домик можно обшить бельевой веревкой, чтобы придать ему законченный вид. Получившуюся игрушку можно аккуратно приметать к диванной подушке, или прикрепить на липучках к паласу, или просто дать ребенку «потрепать».

МОБИЛЬ «СОЛНЕЧНАЯ СИСТЕМА»

Вам потребуется: круг, вырезанный из картона, диаметром около 30 см (хорошо подойдет коробка из-под пиццы); цветная бумага; ножницы; скотч; леска; простой карандаш; фломастеры; цветные карандаши; циркуль.

Как сделать игрушку. Через центр картонного круга проведите две перпендикулярные линии. На их пересечении будет располагаться солнце. При помощи циркуля прочертите 9 концентрических кругов — это будут орбиты планет.

Первые 4 планеты расположены достаточно близко к солнцу. Затем следует промежуток, в котором расположена орбита астероидов. Остальные пять планет находятся уже очень далеко от солнца.

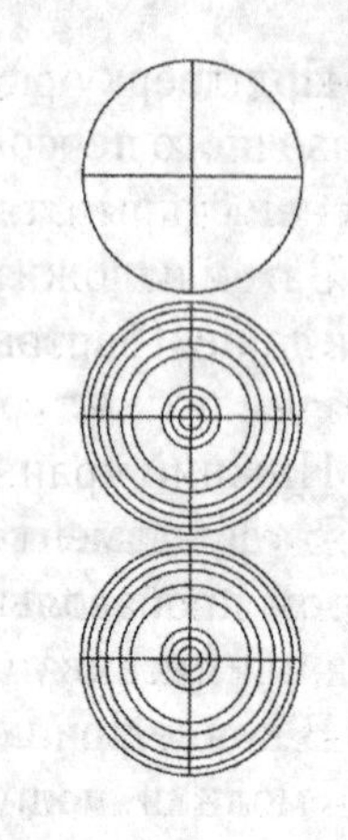

Острием ножниц прокрутите в картонке дырочки. Первая будет расположена в центре, остальные — на орбитах планет, по одной на каждой.

Вырежьте из бумаги подходящих цветов солнце и планеты. Подпишите на каждой планете ее название.

При помощи скотча прикрепите к Солнцу и каждой планете леску. Свободный конец лески закрепите при помощи скотча на внешней стороне картонного круга.

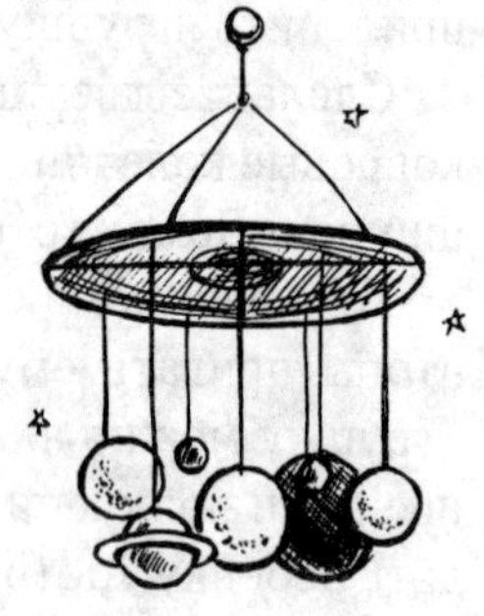

Схема устройства мобиля

Расположите планеты, следуя нашей таблице: ближе всего к Солнцу расположен Меркурий, потом Венера, затем — Земля и т. д. Отрегулируйте длину лесок, чтобы Солнце и все планеты находились примерно на одном уровне.

Чтобы подвесить мобиль, прикрепите к внешней стороне круга три куска лески одинаковой длины, соедините их и привяжите еще к одному, более длинному, куску лески. Наверху укрепите колечко. У вас получилось замечательное учебное пособие: модель Солнечной системы.

ЛОЖКИ

Вам потребуется: деревянные ложки; шнурок.

Как сделать игрушку. Возьмите обычные деревянные ложки. В ручке каждой ложки можно проделать отверстие, чтобы продеть шнурок. Как вариант — туго завязать шнурок на ручках одной и второй ложки так, чтобы ложки оказались связанными между собой.

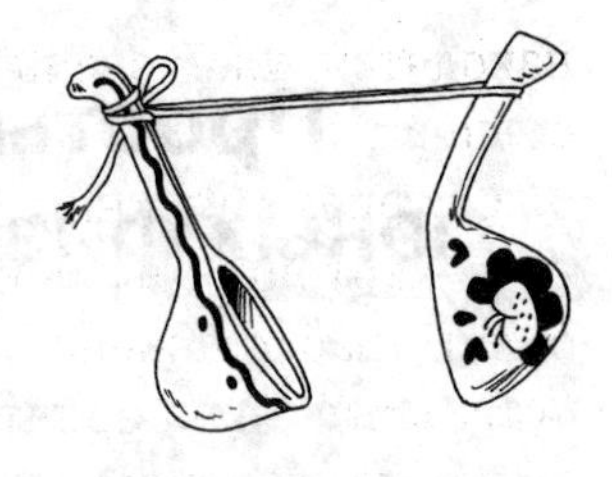
Игрушка из деревянных ложек

Как ни странно, но такими ложками малыш до 1–1,5 лет может забавляться довольно долго. Ими можно стучать по столу, друг о друга, запутывать шнурок, наматывать шнурок на ложки, уронив одну ложку, поднимать ее за другую и т. д.

Цель: развитие мелкой моторики, развитие координации движений рук.

Простые опыты для юных физиков и химиков

Наверняка ваш малыш, как и все дети, любит все таинственное и загадочное, изучает мир всеми возможными способами и задает множество вопросов об окружающих его предметах и явлениях. Часто совершенно простые и обыденные для взрослых вещи вызывают искреннее восхищение малыша.

Существует масса простых экспериментов, которые можно провести дома. Они не требуют никакой подготовки и специального оборудования, большинство из них юный экспериментатор может делать сам, руководствуясь мамиными инструкциями, но, конечно, под ее наблюдением. Это не только поможет занять малыша на некоторое время, такие почти научные эксперименты — не просто развлечение. Исследовательская деятельность как нельзя лучше развивает мышление ребенка, его память и наблюдательность, дает первые представления о физических и химических явлениях вокруг нас, помогает понять некоторые законы природы. Особенно, если мудрый взрослый не спешит делать за малыша выводы, а дает ему возможность попытаться найти ответ самому. И пусть ответы и выводы не всегда верны — это не важно. Самое главное не ответ, а умение поставить вопрос и поиск ответа на него.

МОДЕЛЬ ДОЖДИКА

Над кипящим чайником подержите тарелку (конечно же, не пластмассовую и не картонную). Пар превращается в воду, капли падают вниз. Прекрасная возможность продемонстрировать круговорот воды в природе.

> Внимание!
> Дети будут находиться рядом с кипящим чайником — будьте предельно осторожны!

ВЫРАЩИВАЕМ КРИСТАЛЛ

Все в школе выращивали кристаллы медного купороса. С дошкольниками можно сделать то же самое, но из соды, правда, кальцинированной, или соли.

В стеклянную банку налейте горячей воды, почти до конца.

Затем насыпьте кальцинированной соды (соли) столько, сколько размешается. Чтобы вода не остывала и поглотила как можно больше соды, банку надо поставить в миску с горячей водой (осторожно, рядом любопытные дети!). Воду с содой можно немного подкрасить чернилами или красками.

> **Совет**
> Чтобы банка не лопнула, воду надо наливать по металлической ложке, опущенной в банку.

Теперь в банку до середины опустите скрепку (маленький гвоздь) на нитке, которую предварительно закрепите на палочке или карандаше. Карандаш положите на горловину банки. Банку выньте из миски. Охлаждаясь, вода теряет способность растворять такое большое количество соды (соли), поэтому кристаллы соды начинают образовываться на скрепке. Остаток соды оседает на образовавшихся кристаллах, и через некоторое время (неделя, две) они повисают гроздьями. Одновременно идет испарение воды, выделяется еще больше соды (соли), и кристаллы растут.

ЦВЕТЫ ПЬЮТ ВОДУ

Это очень известный эксперимент и к тому же очень нравится детям.

Для его проведения обычно берут гвоздики, но можно и любые другие цветы, которые долго стоят в воде. Лучше всего подходят белые или светлые цветы — нежно-желтые, розовые.

Подкрасьте воду для цветов. Если они белые, то любым цветом, например синим, фиолетовым, красным, зеленым, желтым. Если цветы другого цвета (желтые), то тогда лучше взять краситель поконтрастнее, например, синий.

Через день посмотрите на свои «белые» цветы. Чем больше краски в воде, тем ярче окрасятся цветы. Можно взять несколько белых гвоздик и по одной поставить в банки с разного цвета водой.

Еще одно доказательство для ребенка, что цветы пьют воду, в которой стоят.

ПОЖИРАТЕЛЬ МЕЛА

В стакан наполовину налейте уксуса и бросьте туда кусочек мела.

Мел начнет живописно бурлить, а потом растворится. Мел — это известняк, который, соприкасаясь с кислотой, распадается на разные вещества, в частности углекислый газ, пузырьки которого вы увидите. Точно так же, но гораздо медленнее разрушаются каменные статуи из-за слабого содержания кислоты в дожде.

КТО ДРУЖИТ С ЗУБОЧИСТКАМИ?

В таз с водой поместите деревянные зубочистки (шесть, семь штук) или спички. Направлением к центру, то есть так , чтобы концы зубочисток (спичек) смотрели в центр.

Аккуратно (можно пинцетом) положите в центр миски кусок сахара. Зубочистки начнут приближаться к центру. Сахар всасывает воду, создавая течение, несущее зубочистки к центру.

Теперь уберите сахар и в середину миски капните пипеткой несколько капель жидкости для мытья посуды. Зубочистки «разбегутся». Мыло ослабляет натяжение поверхности воды, мыльная пленка расширяется, отталкивая зубочистки.

ЯЙЦО В БУТЫЛКЕ

Приготовьте сваренное вкрутую и очищенное от скорлупы яйцо, стеклянную молочную бутылку. Сейчас это редкость, но есть бутылки из-под соков с такими же горлышками, как у молочных бутылок.

Аккуратно, чтобы не обжечься, налейте кипяток в бутылку (осторожно, рядом дети!). Круговыми движениями прогрейте бутылку водой и вылейте кипяток. Быстро положите очищенное яйцо на горлышко бутылки. Яйцо тут же втянется в узкое горлышко бутылки и упадет на дно.

МЕРТВОЕ МОРЕ

Приготовьте две небольшие, по пол-литра, банки и одну литровую банку.

Две пол-литровые банки наполните водой. В одну добавьте соли — не меньше двух столовых ложек (начните с двух), — и размешайте до полного растворения. Все готово, можно удивлять малышей.

Сырое яйцо осторожно опустите в банку с простой водой, оно утонет. Затем достаньте его и опустите в банку с соленой водой. Яйцо будет держаться на поверхности. Здесь можно поговорить о морях, океанах. Но самое интересное начнется с третьей банкой.

На дно пустой банки положите яйцо и начните наливать воду из двух предыдущих банок. Можно по очереди, можно одновременно. Важно отслеживать простую воду, ее может оказаться много и яйцо утонет. А нам важно, чтобы произошло чудо! Яйцо должно находиться во взвешенном состоянии. Можно управлять им не прикасаясь. Если долить больше простой воды, оно утонет, если соленой, поднимется вверх.

В ТЕПЛОЙ КОМНАТЕ ПРИМЕРЗЛА КРУЖКА

Зимой, когда за окном снег, возьмите металлическую кружку и наполните ее снегом. На деревянную табуретку (край стола) налейте немного воды и поставьте на мокрую табуретку чашку со снегом. Затем в чашку насыпьте горсть соли и начните размешивать ее со снегом. Через некоторое время кружка очень крепко примерзнет к табуретке

МОДЕЛЬ КОМПАСА

Если ребенок уже понимает, что такое компас и для чего он нужен, проведите этот эксперимент.

Возьмите обычную иголку. Один ее конец сильно натрите магнитом. Намагниченную иглу воткните в обычную пробку или положите на кусочек пробки и опустите на воду в миске. Пробка с иглой будет некоторое время вращаться, а затем остановится. Тупой конец иголки будет указывать на север, а тонкий на юг. Хорошо бы это все тут же сравнить с покупным компасом.

Еще детей завораживают такие вещи, как солнечные часы, песочные часы, самодельные ходули, калейдоскоп, перископ. Интересно выращивать плесень на кусочке мокрого хлеба, засунутого в прозрачный пакет.

ВУЛКАН

Опыт с содой и уксусом можно превратить в яркое зрелище, сделав с их помощью модель вулкана. Но сначала нужно вылепить из пластилина сам вулкан.

Для этих целей вполне подойдет пластилин, уже однажды использованный, оставшийся после детских творческих изысканий.

Разделите пластилин на 2 части. Одну половину расплющите (это будет основание), а из другой слепите полый конус размером со стакан с отверстием вверху (склоны и жерло вулкана).

Соедините обе части, тщательно скрепляя стыки, чтобы вулкан получился герметичным.

Перенесите «вулкан» на тарелку, которую поместите на большой поднос.

Теперь приготовьте «лаву». Насыпьте внутрь вулкана столовую ложку питьевой соды, немного красного пищевого красителя, влейте чайную ложку жидкости для мытья посуды. Когда все готово, малыш вливает в «жерло» четверть стакана уксуса. Вулкан тут же просыпается, раздается шипение, из «жерла» начинает валить ярко окрашенная пена. Эффектное и незабываемое зрелище!

Если лепить вулкан из пластилина не хочется, можно соорудить вулканический конус из бумаги или картона, а внутрь поместить стеклянную бутылку. Подобные эксперименты производят на малышей неизгладимое впечатление.

РЕКИ И ОВРАГИ

Налейте воду струйкой на уплотненные несколькими слоями песок, землю или глину. Благодаря такому наглядному пособию, ребенок сможет увидеть, как вода уносит частицы, как формируется ложе ручья, и если долго смотреть и материалы подходят, то увидеть, как образуется настоящий овраг.

ОГНЕТУШИТЕЛЬ

Зажгите свечку. В бутылку налейте пять ложек уксуса, затем всыпьте половину столовой ложки соды. Все это начнет пениться и выделять углекислый газ, поэтому, если бутылку аккуратно наклонить к свечке, чтобы жидкость не выливалась, то свечка погаснет от вырывающегося газа.

ДВИЖЕНИЕ ВОЗДУХА ЗА СЧЕТ РАЗНОСТИ ТЕМПЕРАТУР

Стеклянную бутылку хорошо прогрейте теплой водой, на горлышко натяните воздушный шарик. Бутылку поставьте в таз с холодной водой.

Бутылка очень смешно «проглотит» шарик.

СТАЛАКТИТЫ И СТАЛАГМИТЫ

Две одинаковые банки наполните горячей водой. В каждой размешайте столько соды, сколько размешается. Поставьте банки в теплое место. Между ними поставьте тарелку.

В банки опустите концы одной шерстяной веревки так, чтобы середина провисала над тарелкой. Через несколько дней с веревки на тарелку начнет капать раствор. Вода будет испарятся, а останутся кристаллы соды. Снизу они будут расти вверх, а сверху вниз.

САМОНАДУВАЮЩИЙСЯ ВОЗДУШНЫЙ ШАРИК

В двух столовых ложках теплой воды разведите две чайные ложки дрожжей. Затем добавьте чайную ложку сахара и размешайте. Смесь залейте в бутылку.

На горлышко бутылки натяните воздушный шарик. Эту конструкцию поместите в миску с теплой водой минут на 15. Шарик начнет надуваться за счет углекислого газа, выходящего из бутылки.

МЯГКАЯ СКОРЛУПА

Этот опыт может иметь для крохи не только познавательное, но и воспитательное значение.

Возьмите сырое куриное яйцо, положите его в поллитровую банку и залейте столовым уксусом. Закройте банку крышкой и оставьте на сутки.

Затем вытащите яйцо и попробуйте сжать в руках. Скорлупа станет мягкой и гибкой. Расскажите малышу, что уксус растворяет минералы, содержащиеся в яичной скорлупе (а именно они придают скорлупе прочность). Если 3–4 дня подержать в уксусе куриную косточку, она тоже станет мягкой. Примерно так же действует на эмаль наших зубов кислота, выделяемая бактериями в ротовой полости. Для нежелающих чистить зубы этот опыт будет очень показательным.

ЛИМОН-ЗАЩИТНИК

Возьмите яблоко и лимон. Разрежьте яблоко пополам, положите его срезами вверх на блюдце и предложите малышу выдавить немного лимонного сока на одну из половинок.

Малыша наверняка удивит тот факт, что через несколько часов «чистая» половинка яблока потемнеет, а та, что была «защищена» лимонным соком, останется такой же белой. Мы, взрослые, знаем, что потемнение происходит из-за окисления железа, содержащегося в яблоке, кислородом воздуха. А аскорбиновая кислота, содержащаяся в лимонном соке, — природный антиоксидант, замедляющий процессы окисления.

Расскажите малышу, что в яблоках есть множество очень полезных веществ, в том числе и железо. Конечно, сколько ни жуй яблоки, кусочки привычного для нас железа там не отыщешь, но железо там все-таки есть в виде очень маленьких, не видимых глазу частичек. Когда эти крошечные частички железа соприкасаются с воздухом, точнее, с кислородом воздуха (а именно это и произошло при разрезании яблока), они начинают темнеть.

Чтобы малышу стало понятно, что происходит, сравните потемнение яблока с ржавчиной. Лимонный сок покрыл срез защитной пленкой, и кислород не смог добраться до железа.

ТАЙНЫЕ ПИСЬМА И РИСУНКИ

Выдавите в пиалу немного сока лимона, выдайте ребенку белый лист бумаги и ватную палочку и предложите написать письмо или что-нибудь нарисовать лимонным соком.

Когда шедевр готов, дайте ему высохнуть. Теперь прочитать написанное или увидеть нарисованное невозможно.

Хорошо нагрейте лист бумаги над настольной лампой или паром. Надпись станет заметной. Иногда бывает так, что «лимонное» письмо плохо проявляется на пару. Тогда его можно прогладить утюгом.

А еще можно написать «тайное» письмо обыкновенным молоком. Бумагу с молочными «чернилами» высушите, а затем как следует прогладьте горячим утюгом. На бумаге проступят коричневые буквы.

Если идея малышу понравится, можно бесконечно долго писать друг другу засекреченные послания.

Кроме лимонного сока и молока, для тайных писем можно использовать картофельный крахмал и йод.

Вместе с малышом приготовьте крахмальный клейстер: чайную ложку крахмала разведите небольшим количеством холодной воды и, интенсивно размешивая, залейте кипятком из чайника. Смесь загустеет и станет прозрачной.

Окуните в клейстер ватную палочку, зубочистку или кисточку и напишите или нарисуйте что-либо на бумаге.

Чтобы проявить надпись, к 4–5 чайным ложкам воды добавьте половину чайной ложки йода и с помощью поролоновой губки слегка смочите этой смесью бумагу. Йод вступит в реакцию с крахмалом, и наша невидимая надпись посинеет.

Музыкальное развитие

Прекрасно, когда у человека высокий интеллект, хорошо развиты логическое мышление, умение концентрировать внимание, память. Он без труда обрабатывает полученную информацию, «схватывает все на лету», обладает широким кругозором, много читает (особенно научной литературы) и физически крепок. Достаточно ли этого, чтобы назвать такого человека всесторонне развитым, по-настоящему образованным? Думается, что нет. Что-то пропущено в этом списке. И если внимательно присмотреться, то легко заметить, что пропущен один, но очень важный момент в образовании каждого человека — развитие творческих способностей, умение воспринимать и ценить произведения искусств, «пропускать через себя» свои эмоции и ощущения от прочитанного, увиденного или услышанного. Развивать творческие способности для малыша не менее важно, чем развивать, например, логику. И начать открывать для ребенка удивительный мир литературы, искусства, музыки и творчества надо как можно раньше.

Дайте музыку!

Для того чтобы помочь своим детям музыкально развиваться, вам не обязательно быть специалистом и обладать музыкальными способностями. Никто из нас не лишен музыкальности. Даже если вы не умеете играть на инструментах или не знаете нотной грамоты, то это не значит, что вы не поете под радио или не получаете удовольствия от музыки. Значит, научить своего ребенка слушать музыку, понимать ее и получать от этого удовольствие вам под силу.

ЧТО СЛУШАТЬ

Какую музыку должен слышать малыш? Разную.

Первое, что приходит в голову, — это купить новорожденному аудиокассету с детскими песенками — и пусть наслаждается! Однако родители очень скоро понимают, что удовольствие от популярных детских песенок из мультфильмов получают все, кроме главного слушателя. Младенцу их слушать пока рановато. Как показывает опыт, даже самые «продвинутые» детки начинают интересоваться подобной музыкой не раньше чем в полгода, а большинство будет способно оценить всю прелесть этих мелодий только в годовалом возрасте и старше. Вот тогда они и начинают весело пританцовывать под задорные песенки (вспомните всем известные «Антошка» или «Чунга-Чанга»).

Самый первый и самый совершенный музыкальный инструмент, с которым знакомятся дети, — это мамин голос, нежно напевающий колыбельную. Колыбельные лучше петь «вживую», а не заменять их аудиозаписями. Пусть вас не смущает даже отсутствие голоса или слуха. Какой бы хорошей ни была аудиозапись, она никогда не заменит контакта с мамой, которая прижимает к груди свое чадо, тихо напевая «баю-баюшки-баю». Младенцы очень любят, когда им поет мама. Но диск с колыбельными приобрести все-таки стоит. Рано или поздно вам захочется сменить репертуар, а запись послужит хорошим обучающим материалом. Кроме того, «готовые» колыбельные можно включать малышу перед сном, создавая определенный настрой на ночь, а уже потом петь их самим.

Прежде чем купить кассету, ее нужно обязательно послушать. Важно, чтобы на диске были знакомые вам мелодии. Это могут быть и хорошо известные колыбельные классиков, и русские народные. У последних, как правило, текст и мелодия несложные, и выучить их может человек с любым уровнем музыкальных способностей.

И если под колыбельные так сладко засыпать, то под веселые, ритмичные детские мелодии приятно купаться, ползать, раскидывать игрушки и заниматься другими важными делами.

В этом случае незаменимы будут кассета или диск с детскими песенками из мультфильмов, так как большинство родителей способны воспроизвести чаще всего припев, а большую часть детского шлягера приходится просто напевать. Покупая аудиозапись, постарайтесь, чтобы песни были без аранжировки и звучали так же, как в мультфильмах.

Сложнее обстоит дело с классическим репертуаром. Далеко не каждый из нас хорошо знаком с этой музыкой. Сейчас в продаже есть много кассет и дисков с классикой для малышей. Как правило, записаны на них самые

Это интересно

- От зачатия до 18 месяцев ребенок стремительно развивается. Посмотрите на несколько этапов музыкального восприятия младенца (однако не забывайте, каждый ребенок уникален и у каждого свои темпы развития).
- В 20 недель беременности ваш ребенок слышит.
- С рождения ребенка могут пугать некоторые звуки.
- В 3 месяца младенец может отвечать активными движениями на музыку, например: раскачиванием или переворотом, со-

Приобретайте только «взрослые» аудиозаписи, адаптации могут подойти лишь в качестве ознакомления с произведениями и то в более позднем возрасте.

популярные произв в специальной «де аранжировке. Ко соблазн купить мла, такие записи очень в Но подбирать фонс для малыша (особен возрасте до года) сле осмотрительно. Есть весьма распространенное мне что для детей нужно все упрощать. А вот специалис напротив, утверждают, что самым маленьким необ димо предлагать вещи не попроще, а лучше по качест А что может быть лучше настоящей, «неадаптирова ной» музыки? Верно замечание специалиста: «Знак мить ребенка с классикой по «детским» кассетам — эт как пытаться поразить воображение зрителя творения ми импрессионистов, набросав их быстренько флома стером. Таким образом можно составить представление о сюжете, но уж никак не насладиться тем эмоциональным импульсом, который возникает при каждом контакте с прекрасным».

Какую музыку и произведения каких композиторов можно предложить малышу?

Классические произведения для детей должны быть:

- светлыми, гармоничными и логичными;
- приятными на слух, не вызывающими агрессию или другие отрицательные эмоции.

провождать музыку радостными «агуууу», «ооооо», «ииииии».

- Специалисты говорят: ребенок в 5 месяцев может отличить музыкальную «мешанину» от хорошо построенной музыкальной фразы классической музыки.
- В 6 месяцев малыш начинает пытаться имитировать звуки, а около 9 месяцев отвечает на привычные звуки.
- Около года ваш малыш способен узнать музыкальный ритм.

Изучением влияния классической музыки на младенцев в основном занимались немецкие ученые. Возможно, поэтому специалисты в основном рекомендуют давать малышам слушать Моцарта, Шуберта, Гайдна, Баха. Кстати, все вышеперечисленные композиторы действительно нравятся маленьким слушателям.

> Совет для тех, кто относится к прослушиванию классики как к наказанию: купите диск с самыми популярными мелодиями Чайковского. Их прослушивание доставит вам настоящее удовольствие!

Музыка для младенца должна быть ясной и мелодичной.

Малышам важна мелодия, которую они смогут со временем попытаться повторить, то есть простая и приятная на слух. Идеально под все эти требования подходят произведения Моцарта: их отличают простота и гармоничность, они передают оптимистичный настрой, и даже печаль у этого великого композитора светлая. Из произведений Моцарта ребенок может слушать практически все. Исключение составит только «Реквием».

МУЗЫКА РАЗВИВАЕТ И ЛЕЧИТ

То, что музыка благотворно действует не только на душу, но и на тело, заметили еще древние. Музыкой лечили нервно-психические болезни, в средние века пытались использовать ее как наркоз. Но все эти эксперименты проводились со взрослыми.

В России первым начал изучать влияние музыки на состояние детей выдающийся психоневролог В. М. Бехтерев еще в начале XX столетия. Уже тогда было ясно: детям полезно слушать классику и колыбельные, что музыка не только развивает детей, но и влияет на состояние их здоровья.

Более десяти лет назад ученые Института педиатрии РАМН решили найти научное обоснование метода му-

зыкотерапии. А самыми первыми пациентами, которые получали лечение музыкой, стали новорожденные отделения недоношенных. Что показали исследования?

У детей, пострадавших от недостатка кислорода во время внутриутробного развития, как правило, активность ферментов клетки снижена. После того, как младенцам давали прослушивать классическую музыку, активность ферментов клетки повышалась. Это показал цитохимический анализ. Младенцам также замеряли артериальное давление, пульс, ритм дыхания. И в каждом случае организм приспосабливался к окружающей среде и чувствовал себя лучше.

Далее ученые решили проверить, на какой звуковой раздражитель реагируют дети. Были сомнения, что гармония и мелодия играют главную роль.

Исследователи включали младенцам метроном, который отбивал медленный ритм в темпе спокойной музыки. Внешне новорожденные вели себя нормально: успокаивались и засыпали. Но цитохимический анализ отмечал: на фоне работающего метронома в клетках идет угнетение ферментов. Также ученые отметили, что рок-музыка с ярко выраженным пульсирующим ритмом вредна маленьким детям.

Врачи рекомендовали родителям малышей, кроме массажа, гимнастики и упражнений в воде, продолжать сеансы музыкотерапии. Когда через год все эти дети прошли обследование в Институте педиатрии, выяснились интересные вещи. Младенцы, которые постоянно слушали классическую музыку, лучше справились с неврологическими нарушениями, в отличие от тех малышей, чьи родители не стали проводить музыкотерапию.

Сеансы музыкотерапии хорошо влияют и на здоровых, нормально развивающихся малышей. Ведь и их иногда надо успокоить или, наоборот, взбодрить. Это можно сделать с помощью медленных или динамичных ритмов музыки.

Детям легко возбудимым и беспокойным специалисты рекомендуют слушать мелодии в медленном темпе — «адажио», «анданте». Это может быть, к примеру:

- 2-я часть «Маленькой ночной серенады» Моцарта;
- «Зима» из «Времен года» Вивальди;
- дуэт Лизы и Полины из оперы Чайковского «Пиковая дама»;
- колыбельные песни.

Мелодия со словами влияет на детей сильнее, чем без слов. А живое пение — сильнее записанного на диск или кассету инструментального исполнения. И не важно, на каком языке поют — новорожденные прекрасно слушают, например, колыбельную Брамса или Рождественские песнопения на немецком языке.

Для младенцев с синдромом угнетения, которые плохо сосут, иногда даже неритмично дышат, полезны произведения в темпе «аллегро» и «аллегро модерато» Моцарта, Шуберта, Гайдна, а также вальсы из балетов и композиции «На тройке», «Декабрь» из «Времен года» Чайковского, «Весна» из «Времен года» Вивальди, классические маршевые мелодии.

Сейчас в продаже есть записи звуков природы в сочетании с классической музыкой — шум ручья, морского прибоя, звуки леса. Аудионосители так и называются: «Малыш в лесу», «Малыш у моря», «Малыш у реки». Специалисты также советуют слушать эти произведения, особенно беспокойным младенцам, «чтобы получить отдых на клеточном уровне».

Кроме перечисленного, в вашей коллекции обязательно должны присутствовать диски с записями оперных арий. Стоит повторить, что маленькие меломаны очень неравнодушны к звукам человеческого голоса.

Внимание!
Ни в коем случае нельзя давать маленьким детям слушать музыку через наушники. От направленного звука незрелый мозг может получить акустическую травму.
Музыкотерапия противопоказана: младенцам с предрасположенностью к судорогам, детям в тяжелом состоянии, которое сопровождается интоксикацией организма, больным отитом, детям, у которых резко нарастает внутричерепное давление.

Особенно им нравятся высокие женские голоса. Самый простой вариант — это купить «сборный» диск с популярными классическими ариями в исполнении Хосе Каррерас, Монсеррат Кабалье, Марии Каллас и др.

Не менее интересен маленьким слушателям и классический джаз. Поищите в продаже записи наиболее популярных произведений этого музыкального стиля.

Посмотрите примерный список произведений, которые вы можете слушать вместе со своим маленьким меломаном.

- Произведения Баха (не в исполнении органа), Моцарта, Вивальди.
- П. И. Чайковский. Времена года.
- П. И. Чайковский. Музыка из балетов «Щелкунчик», «Спящая красавица», «Лебединое озеро».
- П. И. Чайковский. Пьесы из Детского альбома.
- Ф. Шопен. Мазурки, вальсы, ноктюрны.
- Ф. Шуберт. «Вечерняя серенада», вальсы.
- И. Брамс. Венгерский танец N 5
- М. И. Глинка. Марш Черномора из оперы «Руслан и Людмила».
- Л. Бетховен. «К Элизе».
- Л. Боккерини. Менуэт.
- А. Лядов. «Музыкальная табакерка»
- С. Рахманинов. Полька.

- Дж. Верди. Марш из оперы «Аида», Песенка герцога из оперы «Риголетто».
- Дж. Гершвин. Колыбельная Клары из оперы «Порги и Бесс».
- И. Штраус. Музыка из оперетты «Летучая мышь», вальсы.
- И. Кальман. Музыка из оперетты «Сильва».
- Ф. Лист «Грезы любви».
- С. Прокофьев. Вальс из балета «Золушка», Гавот из «Классической симфонии».
- А. Грибоедов. Вальс.

КАК НАЧИНАТЬ?

Возможно, еще находясь в утробе, малыш познакомился с классической музыкой — если мама сама слушала ее и получала от этого удовольствие.

До года самый простой и доступный способ познакомить малыша с классикой — включать негромко выбранную вами музыку и заниматься своими делами — играть, есть, делать малышу массаж, одевать, купать и т. д. Для подготовки ко сну и периода бодрствования подбирайте соответствующие произведения. Время от времени обращайте внимание крохи на звуки: «Слышишь, какая музыка звучит? Это композитор Моцарт написал» или «Какой марш веселый, давай под эту музыку прыгать (переворачиваться, ходить, хлопать ручками...)!» Называйте композиторов, танцуйте, хлопайте в ладоши. Рассказывайте, какая красивая (медленная, быстрая, громкая, тихая, веселая или грустная) музыка. Подбирайте как можно больше слов для характеристики той или иной мелодии. Этим вы способствуете и развитию речи ребенка.

Такие «уроки» прекрасно развивают слух, приучают детей к постоянному присутствию музыки в их жизни.

УЧИТЬ ИЛИ МУЧИТЬ?

Прежде всего ответьте честно сами себе, для чего вы хотите учить ребенка музыке. Если в итоге обучения ваше чадо представляется вам победителем всевозможных конкурсов, маленьким Моцартом или Паганини, совет один — умерьте свои родительские амбиции. Такой настрой, как правило, хороших результатов не дает. Довольно часто на этот вопрос родители отвечают: «Потому что меня учили, лишним не будет, пригодится...» и т. п. Как вы понимаете, и эти ответы не совсем понятны и чаще всего, как считают психологи, за ними скрываются все те же родительские претензии и тщеславие, попытка реализовать свои (а не детские!) желания.

Лучше всего, если ваше желание учить ребенка играть на каком-либо музыкальном инструменте будет обосновано стремлением дать малышу еще одну возможность проявить себя, развить свои творческие задатки, раскрыть перед ним чарующий мир музыки, дать возможность понять ее не только в качестве слушателя.

В некоторых случаях музыкой советуют заниматься врачи. Причем часто они же и рекомендуют тот или иной инструмент. Если вы столкнулись с медицинскими проблемами и услышали подобный совет, ваша первая задача — найти педагога, понимающего цели вашего обучения и проблему ребенка. Возможно, лучшим выходом в такой ситуации будет обратиться к частному преподавателю.

Безусловно, музыка очень полезна для развития ребенка, и чем раньше начнется его обучение, тем больше шансов, что у малыша разовьется слух и он действительно будет хорошо играть. К сожалению, в России практически не учат любительскому музицированию. Отдавая малыша в четыре-пять лет в музыкальную школу, заранее поинтересуйтесь, что будут требовать с ребенка и для чего, насколько серьезно относятся к выставлению оценок. В некоторых школах интересуются детьми только с ярко выраженными способностями. Остальные же ученики обречены на годы систематического тяжелого труда, который они впоследствии называют «каторгой». В других учреждениях — подход более индивидуален. Каждого ребенка обучают в рамках его возможностей и способностей, соответственно индивидуальны и требования. Очень важно, чтобы ребенок получал удовольствие от занятий, общения с педагогом и от полученных результатов. При правильном подходе и настрое ребенок даже с самыми заурядными способностями может показать, чего он добился и выступить пусть на маленьком, но настоящем концерте.

С 18 месяцев до 3 лет ваш ребенок может развить следующие музыкальные навыки:

- понимать разницу между громкой и тихой музыкой, быстрой и медленной;
- следить и различать ритмы музыки, ударяя в такт;
- выучить слова простых песен;
- учиться совместно с другими детьми.

СВОИМИ СИЛАМИ

Музыка вплетена в нашу жизнь очень органично. Мы говорим с разной интонацией, отстукиваем ритм танцевальной музыки, напеваем колыбельные своим малышам. В 2 месяца младенец улыбается в ответ на голос мамы, в 4 он уже «агукает» и «улюлюкает». И в этом возрасте, и чуть позже любимыми становятся шумовые инструменты.

Первые инструменты малыша

Первые шумовые инструменты малыша — это различные погремушки. Малыш с большим рвением тянется к ним и извлекает простейшие звуки. К таким погремушкам можно добавить различные баночки, насыпав в них крупу, раскрасить и по очереди трясти, вслушиваясь в шуршание и шорохи.

Очень привлекают внимание малыша звонкие стаканы и бокалы. Один звучит так, другой по-другому, а если в них добавить воды, можно попробовать постучать под музыку. Огромное удовольствие для ребенка после 6 месяцев доставляет исследование звучащего мира: стук палочками, звон от связки ключей, грохот кастрюль, шуршание бумагой, к ним можно добавить и игру на простейших музыкальных инструментах, таких как маракасы, треугольник, бубен. Эти звуки очень радуют ребенка, тем более, если получается стучать ритмично. К сожалению, не все родители и соседи выдерживают такой концерт.

Развиваем чувство ритма

Музыка развивает у ребенка чувство ритма. Не всегда у вашего малыша будет получаться стучать или хлопать ровно или в такт, при этом не следует акцентировать его внимание на том, что не получилось.

С малышом 1,5–2 лет можно играть, развивая при этом чувство ритма. Стучите вместе с ним, по очереди, разговаривайте при помощи ударных инструментов (установите диалог), поиграйте в «повторяшки» (один стучит, другой отвечает тем же). Можно попробовать простучать имена мамы, папы, любимых игрушек или даже отрывок из стихотворения. Побольше прохлопывайте в ладоши разные ритмические рисунки, побуждайте ребенка повторить за вами то, что ему под силу. Главное, чтобы все действия происходили в игре.

Обращайте внимание ребенка на различный темп в музыке. Слушайте контрастные по темпу произведения, а лучше, как советуют специалисты, произведения, в которых есть смена темпов. И обязательно двигайтесь под музыку, стучите, рисуйте, используйте различные предметы и картинки.

Интонация

Важное место в музыке занимает интонация. Как показать ребенку, что такое интонация, научить слышать и повторять ее? Сделать это не сложно. Читайте малышу стихи разными голосами, с разной интонацией. Попробуйте пропеть вместе с ребенком самые известные попевки, придерживаясь того же принципа. Для ребенка от года до трех лет такая игра — большое развлечение. Возможно, вас удивит, как быстро дети овладевают различными интонациями, как легко запоминают стихи и песенки.

«Озвучивайте» игрушки. Говорите за медведя низким грубым голосом, писклявым за мышку и т. д. Ваш ребенок сможет освоить новые качества: интонацию, тембр и высоту голоса.

Чтобы понять, как ребенок слышит высоту звуков, чтобы развить и обострить это восприятие, можно использовать различные предметы, помогающие выявить это соотношение. Например, строить башенку и петь (чем выше кубик, тем выше звук). Или попробовать петь и рисовать на вертикально прикрепленном листе: рисуем вверх — поем вверх, вниз — звук голоса все ниже и ниже.

ЗНАКОМСТВО С МУЗЫКАЛЬНЫМИ ИНСТРУМЕНТАМИ

Тембр инструмента ребенок различает лучше всего, если ему играют на этом инструменте или он пытается сделать это сам. Конечно же, далеко не каждый из родителей может похвастаться, что играет на каком-либо инструменте, а даже если и играет, то на одном, реже — на двух. В этом случае можно посоветовать поискать диски с записями фрагментов произведений, которые исполняют разные инструменты. В Интернете легко найти презентации со звуками и изображениями этих инструментов. При помощи компьютера познакомьте ребенка с инструментами и звуками, которые они издают.

Вначале вы можете просто показать малышу картинку с изображением какого-либо инструмента — например скрипки. Рассмотрите, как она выглядит. Если малышу интересно, обратите его внимание на разные детали — смычок, струны и т. д. Даже если вы не знаете, как называются отдельные элементы инструмента, — не страшно. Говорите обо всем, в чем уверены. Есть очень удачные изображения, на которых виден не только сам инструмент, но и процесс игры на нем. Рассказывайте об этом ребенку, пытайтесь повторить, изобразить увиденное.

Прослушивая музыкальные произведения, обращайте его внимание (если, конечно, вы уверены в своей правоте) на звуки, издаваемые инструментами. Вы всегда можете сказать: «Помнишь, мы видели с тобой скрипку? А вот это скрипки играют. Они так звучат, когда их много. А это играет рояль. Музыкант нажимает на клавиши, и мы слышим звуки».

Для детей постарше в филармонии устраиваются концерты-лекции, на которых показывают различные инструменты, рассказывают и исполняют на них музыкальные произведения.

Если вы хотите обратить внимание ребенка на то, кто написал ту или иную мелодию и как она называется, по-

---

Слушая отрывки из музыкальных произведений, имитируйте вместе с ребенком некоторые инструменты. Например, барабан можно изобразить, постучав ладошками по столу, трубу – подудеть в кулачок, тарелки – хлопать в ладоши. В некоторых мультфильмах можно увидеть музыкальные инструменты (Крокодил Гена с гармошкой, Незнайка с тубой, Мышонок с гитарой). Акцентируйте на этом внимание ребенка. Рассказывая об инструменте, вспоминайте подходящего героя из мультфильма.

кажите портрет композитора и попробуйте выразить музыку с помощью движений. Призовите на помощь свою фантазию. Звучит «Полет шмеля» Римского-Корсакова, полетайте как шмель; звучит тема прогулки Мусоргского из «Картинок с выставки», изобразите, что вы вышли на прогулку. Ребенок может танцевать, изображая, как летят бабочки, распускаются цветы, машет крыльями лебедь... Покажите малышу, сколько эмоций скрыто в одном небольшом произведении — и радость, и страх, и волнение, и нежность, и любовь. И он, глядя на вас, будет повторять движения, придумывать сюжеты.

В «Детском альбоме» Чайковского почти каждую пьесу можно изобразить. Фантазируйте, придумайте длинную историю или сказку. При этом даже если вы сами не знакомы с этими произведениями, легко ориентироваться на название. Например, «Болезнь куклы», «Новая кукла», «Марш деревянных солдатиков», «Баба Яга», «Песня жаворонка» и т. д. Придумывайте, сочиняйте, пробуждайте свое воображение и развивайте фантазию у ребенка. Одним словом, подходите к этому занятию творчески.

СПЕЦИАЛИСТЫ СОВЕТУЮТ

От 1,5 до 3 лет

- Комбинируйте музыку и движение.
- Объясняйте ребенку, что музыка может отражать настроение. Сопровождайте свои рассказы движениями. Позже предложите ребенку прослушать музыку с ярко выраженным эмоциональным окрасом. Вы можете сказать: «Какое настроение у зайчика? Ему грустно? Вот прибежала лошадка, ему стало весело? Покажи, как они побегут под музыку?» «А, может, они просто попрыгают?» и т. п. Подберите музыку для некоторых игрушек (зверей), предложите ребенку выбрать, на какого зверя похож музыкальный отрывок.

- Начните с простых инструментов, таких, как, барабанные палочки, шейкер, спустя какое-то время вы сможете познакомить малыша с игрушечным пианино и синтезатором.
- Учите малыша кружиться под песню и танцевать.
- Поощряйте желание послушать музыку.
- Подберите музыку для явлений природы солнечную, дождливую, пасмурную, попробуйте донести до ребенка музыкальную разницу.
- Используйте изображения зверей и предметов, предлагая ребенку озвучить каждое.

Нужна ли музыка?

Нужна ли их ребенку музыка, если он не собирается стать музыкантом?

Этот вопрос чаще всего задают родители, сомневаясь, учить или не учить малыша основам музыкальной грамотности.

В древности люди постепенно приходили к музыке, придумывая вначале деревянные трещотки, раковины-трубы, а уже потом барабаны, бубны. Нет на свете ни одного народа, у которого не было бы своей музыки и который не приобщал бы к ней подрастающее поколение. Еще для детей древней Эллады пение в хоре было обязательным. В России издавна существовали и традиция хорового пения, и музыкальные династии, и музыка, написанная специально для детей. Трудно представить, но всем известную песенку «Жил-был у бабушки серенький козлик» пели дети еще в XVIII веке! В те же годы возникла идея о необходимости детского музыкального воспитания.

Конечно же, для занятий потребуется и время, и ваша заинтересованность, и ваше терпение. Учить или не учить ребенка музыке, решать только вам. Но в заключение стоит отметить несколько важных моментов.

Музыка прекрасно способствует развитию речи у детей: пение учит правильному дыханию, а игра на инструменте — развивает мелкую моторику рук, координацию.

Педагоги и психологи отмечают у ребят, поющих в хоре или играющих в оркестре или ансамблях, собранность, умение ладить со сверстниками и повышенное чувство ответственности.

Интересно и мнение врачей о том, что пение хорошо влияет на развитие носоглотки, а игра на духовых инструментах улучшает состояние легких и бронхов.

Выдающийся английский общественный деятель XVIII века лорд Честерфилд, известный своими «Письмами к сыну», посылая сына в Италию, заклинал его не увлекаться музыкой: «Умоляю тебя, никакой игры ни на флейте, ни на скрипке...» Сын не оправдал надежд отца и ничего как личность из себя не представлял. Почему?

Свою версию предложила Елена Чернодубровская, автор статьи «Бегаем под Гайдна»: «Его сын имел в детстве все — заботливых отца и мать, лучших учителей, возможность видеть мир, но вырос робким, закомплексованным молодым человеком с плохой дикцией и странными манерами. Кто знает, но может быть, только музыка могла бы облагородить его душу, раскрыть его творческий потенциал, дать возможность выразить себя и свои чувства? Не повторяйте ошибок лорда Честерфилда!»

Заключение

Самый оптимальный период, когда ребенок активно развивается, — с 4 месяцев до 6 лет. Е. А. Хилтунен — специалист в области Монтессори-педагогики — считает, что использование предметов и пособий на основе системы Марии Монтессори не только развивает детей, но и делает их жизнь интереснее.

Многие вещи вам не придется покупать: они есть в каждой семье. Главное — найти им правильное применение.

Конечно же, каждый родитель будет выбирать необходимое и возможное конкретно для себя. Большая часть предметов есть у вас дома, так как они необходимы для повседневной жизни, какие-то предметы придется приобрести, а с некоторыми из перечисленных просто познакомиться. Увидев такой предмет в Монтессори-группе, вы будет знать, для чего он необходим, а возможно, и придумаете ему домашний аналог.

ПРЕДМЕТЫ ДЛЯ РАЗВИТИЯ ДВИЖЕНИЙ И УМЕНИЯ ВЛАДЕТЬ СВОИМ ТЕЛОМ

- Деревянная кроватка с «заборчиком»
- Высокий детский стульчик с низенькой табуреткой

- Детский столик и два стульчика
- Ходунки
- Маленький трехколесный велосипед
- Качели без спинки
- Спортивные детские кольца

- Спортивный канат с узлами
- Лесенка с 5–8 ступеньками
- Горка
- Мячи большие и маленькие
- Деревянная лесенка с широкими ступеньками с двух сторон
- Большая ванна или надувной бассейн (на даче) для купания и игр в воде
- Жесткие и мягкие коврики для ползанья
- Тактильная дорожка
- «Линия» на полу для координированного движения
- Низкие мягкие кресла-«мешки»
- Подушки, перинки и маты для кувыркания
- Развивающий коврик

ПРЕДМЕТЫ ДЛЯ РАЗВИТИЯ УМЕНИЙ ПРАКТИЧЕСКОЙ ЖИЗНИ

- Детская вешалка для одежды, полка для обуви

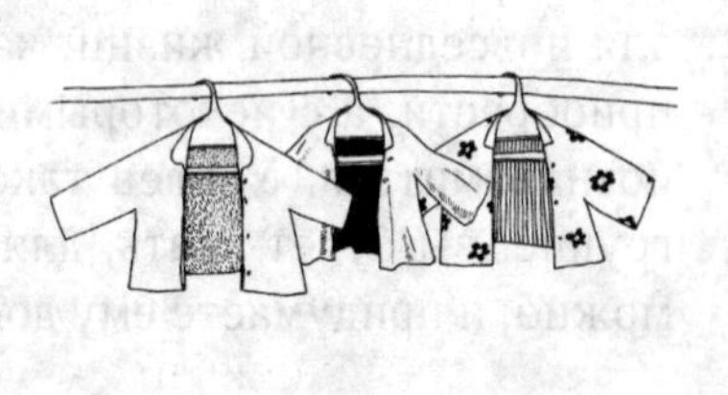

- Корзинка с кошельками и кармашками с различными застежками (молниями, пуговицами, липучками, кнопками, тесемками)
- Зеркало и расческа

- Зубная щетка, стаканчик, детская зубная паста
- Салфетки и полотенца для мытья и вытирания рук
- Предметы для пересыпания зерна ложкой
- Предметы для переливания воды из сосуда в сосуд
- Предметы для пересыпания крупы из сосуда в сосуд
- Предметы для открывания и закрывания крышек
- Губка в тазике для выжимания
- Предметы с застежками: с пуговицей, молнией, защелкой, липучкой, тесемками

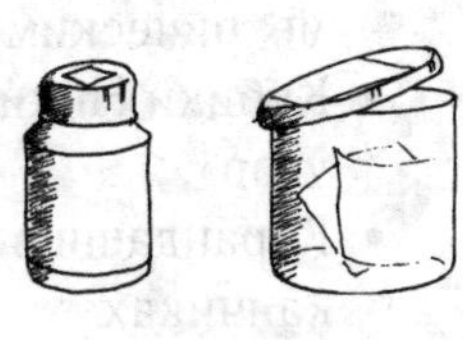

- Предметы для уборки стола
- Предметы для подметания мусора на полу
- Детские чашка, кружка, стакан, пиала
- Детские вилка, ложка, нож
- Предметы для мытья посуды
- Лейка для полива комнатных растений

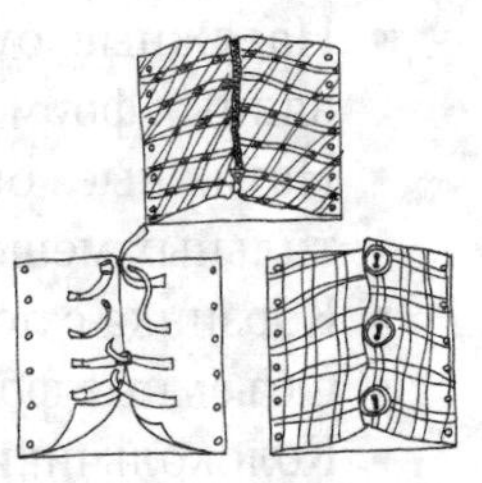

СПЕЦИАЛЬНЫЕ ПРЕДМЕТЫ ДЛЯ РАЗВИТИЯ МЕЛКОЙ МОТОРИКИ:

- Мелкие мягкие игрушки в корзинке (чаще всего это игрушечные животные)
- Крупные натяжные деревянные бусы: некрашеное дерево и деревянные формы основных цветов (шары, призмы, пирамиды, кубы)
- Прищепки в корзинке
- Деревянные формы для нанизывания на шнурок
- Большие и маленькие стаканчики-вкладыши
- Деревянные «гвоздики» с молотком
- Простейший пластмассовый конструктор «Lego»
- Пирамидки разных форм и размеров
- «Счеты» (спираль с нанизанными на нее шариками или другими фигурками)

ПРЕДМЕТЫ, ПОМОГАЮЩИЕ РАЗВИТИЮ СЕНСОРИКИ

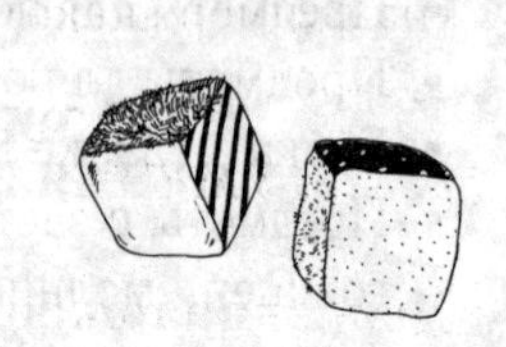

- Деревянные кубики
- Мягкие кубики из материи с наполнителями
- Пазлы с картинками и геометрическими формами
- Кубики Никитина «сложи узор»
- Карандаши в цветных стаканчиках
- Натяжные бусы из деревянных форм
- Натяжные бусы из тактильных мешочков
- Корзинка с лоскутками
- Объемные формы
- Колокольчики и бубенцы
- Игрушечные музыкальные инструменты (бубен, барабан, свисток, дудочка, ксилофон)

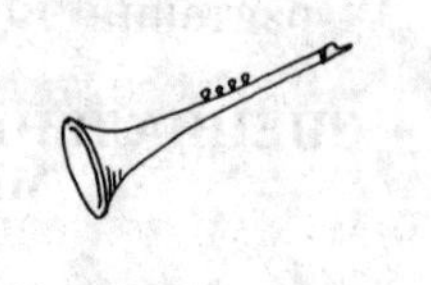

СПЕЦИАЛЬНЫЕ ПРЕДМЕТЫ ДЛЯ РАЗВИТИЯ РЕЧИ

- Картинки с изображениями домашних и диких животных, окружающих предметов (посуда, мебель, одежда и т. п.), цветов, деревьев, еды.
- Несколько шершавых букв и слогов
- Подвижный алфавит (некоторые буквы). Можно использовать магнитную азбуку.
- Бумага и мелки для рисования
- Книжки-картинки

Как использовать предметы и чему учить малышей в возрасте от 6 месяцев до 4-х лет

(на примере некоторых рекомендуемых пособий)

РАЗВИТИЕ ДВИЖЕНИЙ И УМЕНИЯ ВЛАДЕТЬ СВОИМ ТЕЛОМ

Деревянная кроватка с «заборчиком»

- Самостоятельно переворачиваться со спины на живот и обратно.
- Садиться с поддержкой и без поддержки.
- Вставать на коленки, на ножки, придерживаясь за «заборчик» и не придерживаясь.
- Самостоятельно вылезать из кроватки и залезать в нее с поддержкой и без поддержки.

Детский рабочий столик и два стульчика

- Самостоятельно отодвигать и придвигать стул к столику.
- Самостоятельно переносить и тихо ставить стульчик.
- Самостоятельно заниматься за детским столиком.

Ходунки

- Самостоятельно передвигаться в пространстве.
- Двигаться вперед, назад, поворачивать вправо и влево.
- Дотрагиваться и брать в руки предметы, находящиеся на уровне ходунков.
- Во время движения играть с предметами за столиком ходунков.

Маленький трехколесный велосипед

- Самостоятельно садиться на велосипед.
- Самостоятельно кататься на велосипеде.
- Кататься вперед и назад, поворачивать вправо и влево.

- Разгоняться на велосипеде и тормозить.
- Самостоятельно чистить и мыть колеса велосипеда.
- Самостоятельно выносить велосипед на улицу и привозить домой.

Мягкие качели без спинки

- Самостоятельно качаться на животе, опираясь ногами.
- Самостоятельно качаться на животе без опоры.
- Самостоятельно садиться на качели.
- Вращаться на качелях (закручиваться и раскручиваться).
- Раскачиваться сидя с помощью взрослого и без помощи.
- Раскачиваться стоя.

Спортивные детские кольца

- Самостоятельно висеть на кольцах.
- Самостоятельно раскачиваться в висе на кольцах, вращаться на кольцах.
- Поднимать ноги и принимать позу «лягушки».
- Делать переворот вперед и назад.
- Делать «свечку», «уголок».

Спортивный канат с узлами

- Висеть на нижнем узле каната.
- Взбираться на два-три узла, перехватывая руки.
- Взбираться по канату до потолка.
- Делать на канате «уголок».

Вертикальная лесенка с 5–8 ступеньками

- Взбираться на 2–3 ступеньки.
- Взбираться до верха лестницы.

- Делать «уголок» внизу, вверху лестницы.
- Висеть на руках несколько секунд, минуту и более.

Горка

- Скатываться с горки, лежа на животе, придерживаясь руками и не придерживаясь.
- Скатываться с горки, сидя.
- Скатываться лежа, вперед головой.
- Сбегать с горки.
- Взбираться на горку на четвереньках.

Мячи большие и маленькие

- Удерживать мяч в руках.
- Катать мяч по полу.
- Кидать мяч руками.
- Ловить мяч.
- Катить мяч ногой.
- Бить по мячу ногой.
- Попадать мячом в корзину.

Деревянная лесенка с широкими ступеньками с двух сторон

- Подниматься и спускаться по лесенке на четвереньках.
- Подниматься и спускаться по лесенке, придерживаясь за поручни.
- Подниматься и спускаться по лесенке, останавливаясь на каждой ступеньке.
- Подниматься и спускаться по лесенке без поддержки.
- Подниматься и спускаться по лесенке со ступеньки на ступеньку без поддержки.

Жесткие и мягкие коврики для ползанья

- Ползать голышом на мягком или жестком коврике.
- Ползать на четвереньках на мягком или жестком коврике.

Тактильная дорожка

- Передвигаться по тактильной дорожке на животе, на четвереньках, ходить или бегать по ней босиком.

«Линия» на полу для координированного движения

- Ходить по линии босыми ногами и в обуви, стараясь не переступать ее.
- Передвигаться по линии маленькими шагами «пятка-носок», балансируя руками.
- Передвигаться с предметом в руках по линии, не нарушая ее.

Низкие мягкие кресла-«мешки»

- Вставать с пола на коленки, опираясь на «мешки».
- Вставать с пола на ножки, опираясь на «мешки».
- Самостоятельно взбираться на кресло-«мешок» и слезать с него.
- Прыгать с качелей на «мешок» и с «мешка» на «мешок».

Подушки, перинки и маты для кувыркания

- Кувыркаться через голову вперед с поддержкой и без поддержки.
- Кувыркаться через голову назад с поддержкой и без поддержки.

РАЗВИТИЕ УМЕНИЙ ПРАКТИЧЕСКОЙ ЖИЗНИ И САМООБСЛУЖИВАНИЯ

Детская вешалка для одежды

- Приносить верхнюю одежду туда, где она должна висеть.
- Самостоятельно вешать курточку, комбинезон.
- Самостоятельно снимать одежду и обувь.
- Самостоятельно надевать:

– шапку, носки, шарф, штанишки;
– свитер, колготки;
– сапожки;
– туфли.

Детская полка для обуви

- Приносить обувь туда, где она хранится.
- Самостоятельно надевать обувь.

Корзинка с кармашками на различных застежках (молнии, пуговицы, липучки, кнопки, тесемки).

- Рассматривать и ощупывать корзинку и материалы застежек.
- Самостоятельно расстегивать и застегивать кошельки.

Зеркало и расческа

- Знать назначение зеркала и расчески.
- Рассматривать себя в зеркале.
- Расчесывать маму, папу, куклу.
- Самостоятельно расчесываться.
- Регулярно и по назначению пользоваться расческой и зеркалом.

Зубная щетка, стаканчик, детская зубная паста

- Рассматривать зубную щетку, пробовать на вкус зубную пасту.
- Пытаться правильно чистить зубы.
- Чистить зубы с помощью зубной пасты и стакана с водой.

Салфетки и полотенца для мытья и вытирания рук

- Мыть руки и рот до и после еды с помощью взрослых и без помощи.
- Самостоятельно вытирать рот и руки.

Губка в тазике для выжимания

- Выжимать губку в тазик с водой.
- Пытаться с помощью губки самостоятельно вытереть стол.

Предметы с крышками для открывания и закрывания

- Рассматривать и трогать баночки и бутылочки.
- Самостоятельно открывать, а затем закрывать крышки.

Предметы с застежками (пуговицей, молнией, защелкой, липучкой, тесемками)

- Рассматривать предметы с застежками.
- Расстегивать большинство застежек.
- Застегивать большинство застежек.

Предметы для мытья посуды

- Мыть в тазике или раковине чашку, блюдце, ложки.
- Самостоятельно вытирать вымытую посуду.

Предметы для уборки стола

- Самостоятельно вытирать стол губкой.

Предметы для подметания мусора на полу

- Самостоятельно и правильно подметать пол детской щеткой (веником).
- Самостоятельно собирать мусор в совок.
- Выкидывать мусор в мусорное ведро.

Лейка для полива комнатных растений

- Самостоятельно наливать воду в лейку.

- Поливать комнатные растения с помощью, а затем и без помощи взрослых.

РАЗВИТИЕ ДВИЖЕНИЙ КИСТИ И ПАЛЬЦЕВ РУК

Мелкие мягкие игрушки

- Рассматривать и ощупывать игрушки.
- Давать ту или иную игрушку по просьбе взрослого.
- Называть животных по голосу (собака — «ав-ав», кошка — «мяу» и т. д.).
- Называть животных словом автономного детского языка.
- Называть животных полным словом (двумя словами для детей-билингвистов).

Крупные натяжные деревянные бусы

- Нанизывать бусы с помощью и без помощи взрослого.

Прищепки в корзинке

- Самостоятельно снимать прищепки с края корзинки (или картонного листа).
- Самостоятельно прикреплять прищепки на края корзинки (или картонного листа).

Большие и маленькие стаканчики-вкладыши

- Самостоятельно раскладывать стаканчики.
- Вкладывать стаканчики один в другой с ошибками, затем без ошибок.
- Самостоятельно и без ошибок выстраивать башню из стаканчиков.
- Выстраивать из стаканчиков ряд от большого к маленькому.
- Различать большой стаканчик и маленький.
- Давать по просьбе взрослого большой или маленький стаканчик.

- Называть стаканчики по величине (большой — маленький).

Простейший пластмассовый конструктор «Lego»

- Рассматривать детали конструктора.
- Соединять детали без определенной цели.
- Составлять конструкцию по картинке-схеме.
- Свободно конструировать сложные фигуры.

Пирамидки разных форм и размеров

- Самостоятельно разбирать пирамидку.
- Самостоятельно собирать пирамидку, не учитывая величину колец.
- Самостоятельно собирать пирамидку, учитывая величину колец.

РАЗВИТИЕ СЕНСОРИКИ

Деревянные кубики

- Выстраивать аккуратную башню не более чем из 5 кубиков.
- Выстраивать башню более чем из 5 кубиков.
- Выстраивать ровную дорожку или забор из кубиков.

Пазлы с картинками и геометрическими формами

- Рассматривать вкладки пазлов, пытаться вынимать их.
- Аккуратно вынимать вкладки пазлов тремя пальцами, придерживая ручки пазлов.
- Правильно вставлять вкладки пазлов в рамки.

Кубики Никитина «Сложи узор»

- Выстраивать дорожки одного цвета.
- Выстраивать квадраты одного цвета.
- Выстраивать из кубиков узоры по схеме.

Карандаши в цветных стаканчиках

- Расставлять карандаши в стаканчики без учета их цвета.
- Расставлять карандаши в стаканчики с учетом цвета.
- Называть цвета карандашей и стаканчиков (более трех).

Натяжные бусы из деревянных форм

- Трогать и передвигать бусы по нитке.
- Показывать по просьбе взрослого формы, из которых состоят бусы.
- Показывать фигуры определенного цвета.
- Называть цвета фигур и сами фигуры.

Натяжные бусы из тактильных мешочков

- Трогать и передвигать тактильные мешочки по нитке.
- Показывать по просьбе мешочек с камушками, с крупой, с бумагой.

Корзинка с лоскутками

- Рассматривать и трогать лоскутки.
- Подбирать пары одинаковых лоскутков.

Объемные формы

- Рассматривать и трогать объемные геометрические формы.
- Называть объемные геометрические формы.

Музыкальные игрушки

- Слушать звучание игрушек.

- Различать звуки разных игрушек.
- Слушать ритмы, отбиваемые на ксилофоне или на бубне.
- Повторять ритмы с помощью ладошек, бубна или ксилофона.

«Предмет-картинка»

- Рассматривать фигурки животных и картинки.
- Показывать предметы на картинках.
- Называть предметы на картинках.

Рамки-вкладыши

- Самостоятельно обводить некоторые рамки.
- Самостоятельно обводить вкладыши, штриховать.

ПОСОБИЯ МОНТЕССОРИ, ИМЕЮЩИЕСЯ В ПРОДАЖЕ

Рамки-вкладыши Монтессори

Фанерные дощечки с отверстиями разных форм и размеров, а также вкладыши. Задача малыша — подобрать вкладыши к соответствующим отверстиям. Классические рамки Монтессори дают материал по геометрическим формам. Однако сегодня выпускаются пособия по разным тематикам (животные, фрукты, транспорт и т. д.), формам (несколько одинаковых фигурок, отличающихся по размеру), материалам (сделанные не только из дерева, но и из мягкого пластикового материала).

Мягкие конструкторы-вкладыши

Эти игрушки представляют собой разновидность пособий, сделанных на основе метода Монтессори. В продаже есть различные варианты от самых простых до сложных. Также игрушки различаются по темам и размерам. С ними можно играть в ванной.

Кубики-вкладыши

Игрушка сделана по принципу рамок-вкладышей, но выполнена в форме кубика с отверстиями и подходящими к ним фигурками. Кроме кубиков, в продаже есть и другие варианты: ведра, коробки, шары.

Шнуровки

Игрушки в виде пуговицы с иголкой, куска сыра с дырками, цилиндра с дырками и т. п. К каждой игрушке прилагается шнурок. Материал, из которого изготовлены пособия, — дерево или мягкий пластик.

Стаканчики

Несколько разноцветных деревянных или пластмассовых стаканчиков, вкладывающихся один в другой.

Счеты

Спираль с нанизанными на нее шариками или другими фигурками. Способствует развитию мелкой моторики, обучению счету.

Мягкие кубики

Кубики, сделанные из различных материалов. В некоторые из них добавлены разные наполнители для развития тактильных ощущений и слуха, умения прослеживать движение предмета по сложной линии.

Пирамидки

Всем известная игрушка прекрасно способствует развитию мелкой моторики у ребенка, формированию понятий цвет, форма, размер.

Игра «Фигуры на гвоздиках»

Небольшая доска с гвоздиками и канцелярскими резинками. С помощью резинок ребенок «рисует» различные фигуры, контуры, узоры.

СОДЕРЖАНИЕ

В. Г. Дмитриева

МЕТОДИКА РАННЕГО РАЗВИТИЯ МАРИИ МОНТЕССОРИ

От 6 месяцев до 6 лет

Художник *П. Ю. Малданов*

Ответственный редактор *Н. Матушевская*
Редактор *М. Зимина*
Художественный редактор *П. Петров*
Компьютерная верстка *О. Вербицкая*
Корректор *Н. Васильева*

ООО «Издательство «Эксмо»
127299, Москва, ул. Клары Цеткин, д. 18/5. Тел. 411-68-86, 956-39-21.
Home page: **www.eksmo.ru** E-mail: **info@eksmo.ru**

Оптовая торговля книгами «Эксмо»:
ООО «ТД «Эксмо». 142702, Московская обл., Ленинский р-н, г. Видное, Белокаменное ш., д. 1, многоканальный тел. 411-50-74.
E-mail: **reception@eksmo-sale.ru**

По вопросам приобретения книг «Эксмо» зарубежными оптовыми покупателями *обращаться в отдел зарубежных продаж ТД «Эксмо»*
E-mail: **international@eksmo-sale.ru**

International Sales: *International wholesale customers should contact Foreign Sales Department of Trading House «Eksmo» for their orders.*
international@eksmo-sale.ru

По вопросам заказа книг корпоративным клиентам, в том числе в специальном оформлении, *обращаться по тел. 411-68-59, доб. 2115, 2117, 2118, 411-68-99, доб. 2762, 1234.* E-mail: **vipzakaz@eksmo.ru**

Оптовая торговля бумажно-беловыми и канцелярскими товарами для школы и офиса «Канц-Эксмо»: Компания «Канц-Эксмо»: 142700, Московская обл., Ленинский р-н, г. Видное-2, Белокаменное ш., д. 1, а/я 5. Тел./факс +7 (495) 745-28-87 (многоканальный). e-mail: **kanc@eksmo-sale.ru**, сайт: **www.kanc-eksmo.ru**

Подписано в печать 19.10.2011. Формат 84x108 $^1/_{32}$.
Печать офсетная. Бумага тип. Усл. печ. л. 11,76.
Доп. тираж 4000 экз. Заказ № 8288.

Отпечатано с электронных носителей издательства.
ОАО "Тверской полиграфический комбинат". 170024, г. Тверь, пр-т Ленина, 5.
Телефон: (4822) 44-52-03, 44-50-34, Телефон/факс: (4822)44-42-15
Home page - www.tverpk.ru Электронная почта (E-mail) - sales@tverpk.ru

ISBN 978-5-699-28401-6

9 785699 284016 >

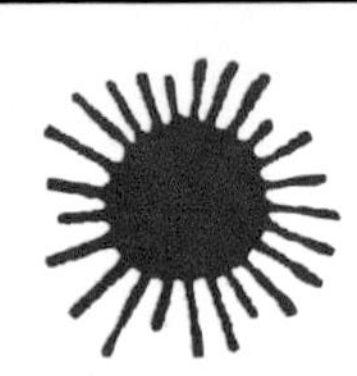

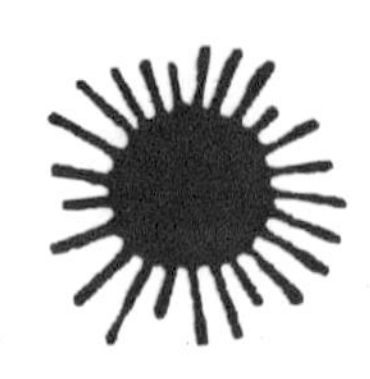

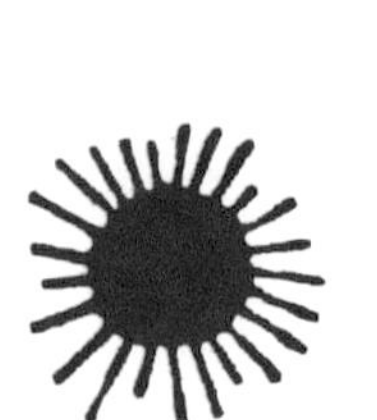

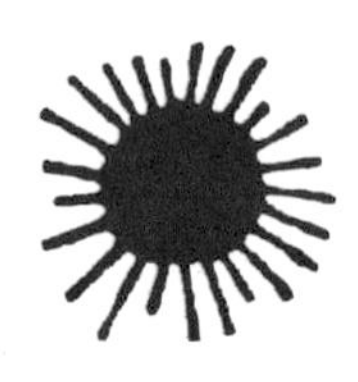

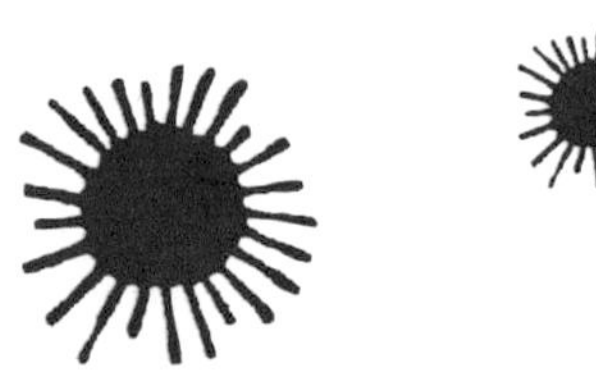

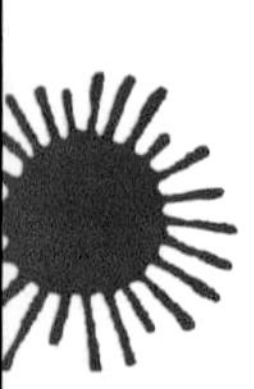

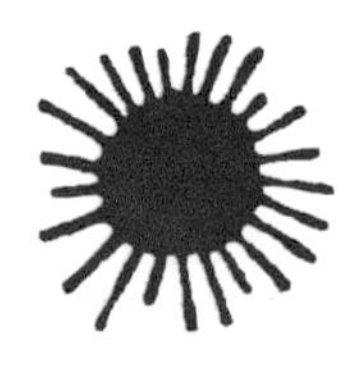